LE SENTIMENT DU FER

DU MÊME AUTEUR

Romans et récits

LA CHUTE D'ORLANDO MARIN, Obsidiane, Paris, 1984.
NOMEN NESCIO (paru sous le titre N. N., ou L'AMOUR CACHÉ), Grasset, Paris, 1989.
UNE BAIGNOIRE À L'OPÉRA-COMIQUE, roman minuscule, Obsidiane, Paris, 1990.
LA LUNETTE DE STENDHAL, Grasset, Paris, 1991.

Poésie

ÉLÉGIE, suivi de PARVA DOMUS, La Dogana, Genève, 1984.
DESTIN, Le temps qu'il fait, Cognac, 1987.
ODOR DI FEMMINA, Le temps qu'il fait, Cognac, 1989.

Essais

LANGUE MORTELLE, Études sur le premier romantisme italien, L'Alphée, Paris, 1987.
TROIS GUERRIERS PLUS UN, Le temps qu'il fait, Cognac, 1993.

en collaboration avec F. Boddaert :

CES IMBÉCILES CROYANTS DE LIBERTÉ, 1815-1852, Hatier, Paris, 1990.

Traductions récentes

Michel-Ange, POÉSIES, Imprimerie nationale, Paris, 1993.
Giacomo Leopardi, DISCOURS SUR L'ÉTAT ACTUEL DES MŒURS DES ITALIENS, Allia, Paris, 1993.
Lorenzo Da Ponte, TROIS LIVRETS POUR MOZART, Aubier, Paris, 1994.

MICHEL ORCEL

LE SENTIMENT DU FER

roman

BERNARD GRASSET
PARIS

à Rita, Paola, et Nini de Thaon
à M. G. B., *doctor subterraneus sed clarissimus*
à Marc et Laurence B., hôtes amicaux du Bugey

I

Oreste arriva peu avant l'aube dans un bruit de pétrolette. Le pot était crevé, et la Ducati commençait à crachoter une fumée noire. Il coupa le contact, remonta ses lunettes, et poussa un soupir. Après les bois sifflants qu'il avait longtemps suivis à flanc de colline, la route avait dégringolé dans une combe, tortillé sur deux ou trois kilomètres, puis regrimpé sur le plateau. Là-haut le noir du ciel avait viré au gris, un gris de métal, sauf au levant, où, sur l'horizon, une infime zébrure jaune semblait fissurer l'hémisphère. L'air était froid, mais morne et humide. Les champs, les bocages avaient disparu. Les dernières fermes cernées par les villas mon-plaisir, les hangars, les petits potagers dévastés par l'hiver, avec leurs cabanons de planches et leurs palissades en tôle, s'arrêtaient là, devant un bout de rempart. Une rue s'ouvrait, droite et vide, comme ouatée par le petit matin. En contrebas on entendait couler un filet d'eau, à peine un ruisseau, plutôt une rigole d'eaux usées, qui faisait un bruit apaisant.

Il jeta sa moto derrière un buisson, contre un mur. Il était glacé, mais il se sentait surtout les bras rompus de fatigue. Il retira son casque, se passa deux ou trois fois les mains dans les cheveux, balança son sac d'un coup d'épaule, et se mit en marche. Du coin de l'œil, il observait les façades entre lesquelles il avançait. Sur le trottoir de gauche, presque toutes les maisons avaient un étage de plus ; mais c'était le même crépi gris, les mêmes encadrements peints, les mêmes volets tirés sur les odeurs écœurantes du matin, pensa-t-il. Au-dessus de tout ça, une publicité pour sanitaires, de loin en loin quelques enseignes, et des lampadaires en métal qui saillaient des toits tous les vingt-cinq mètres. A mesure qu'il avançait, Oreste nota pourtant des devantures marrantes : une boutique d'articles de pêche peinte en bleu, à laquelle on accédait par trois marches et une porte à peine assez large pour laisser passer un homme ; un bazar clos de grands volets tarabiscotés.

Il poussa la porte du premier bistro. Il entra

dans la chaleur. Trois paysans qui buvaient des petits verres au comptoir se retournèrent. Oreste s'assit lentement, le dos à la fenêtre, demanda un café et des tartines, planta ses coudes dans la table, laissa peser sa tête dans ses poings. Son regard vagua sur les murs jaunes, les *réclames* vantant un apéritif que personne ne commandait jamais, les trophées sportifs, les paysans qui avaient repris en rigolant leur conversation incompréhensible, et il s'endormit.

Quand il se réveilla, la petite tasse ne fumait plus, le jour s'était levé. On aurait dit que la clarté se heurtait comme une grosse mouche aux rideaux de nylon, et, faute de réussir à entrer, se contentait de flotter laiteusement contre les vitres. Sous la lampe du comptoir, le patron essuyait des verres en soufflant comme un phoque. C'était un type énorme ; on aurait dit qu'il avait les bras collés au ventre, seules les mains se mouvaient. Oreste commanda un autre café. Il mangea, il but. Il regardait autour de lui. En comptant sa monnaie, il voulut interroger le cafetier sur son chemin, mais il se ravisa, et sortit. En entendant le grelot de la porte tinter derrière lui, il se demanda bêtement quel augure on pourrait en tirer. Dehors la rue s'était éveillée, mais c'était un éveil paresseux, ou prudent, une lumière froide. Il remonta le col de son blouson et reprit sa marche.

Il trouva la ville un peu fantomatique. Au loin, on entendait des bruits de bennes, de moteurs, et, de temps à autre, des cris que le ciel étouffait. Un chat sortit doucement de quelque part. Un homme engoncé dans son manteau se glissa au volant d'une voiture. Une odeur grasse et dorée montait du soupirail d'une boulangerie dont la vitrine était décorée d'épis enrubannés et de festons. Après quelques ratés, on entendit démarrer le moteur du type au manteau. Là-bas, sur la place, les voitures commençaient à tourner tranquillement autour d'une énorme fontaine, au-dessus de laquelle deux ou trois maisons très anciennes balançaient leurs balcons de bois. Et tout au fond de la rue, où, contre la colline, on distinguait dans la brume le toit bleuté d'une maison bourgeoise, résonnaient les hoquets d'un tracteur. Oreste marcha deux ou trois cents mètres encore, et trouva la Grand-Rue.

C'était une rue large, très *notable*, très province, avec des façades percées de beaux cintres, et qui descendait en s'incurvant vers le quartier de la cathédrale. Il ralentit le pas, évita la marchande de journaux qui sortait un présentoir de sa boutique, prit soin de regarder sans trop en avoir l'air le numéro des portes. Tout en bas, il voyait bouger quelques faîtes d'arbre au-dessus des derniers toits.

En peu de pas, il fut rendu.

— Je vous attendais, lui dit Gasparinetti en lui tendant la main.

— Vraiment ? ne put-il s'empêcher de répondre.

Une petite lueur passa dans les yeux de son hôte. « Il se demande si je suis idiot ou si je me fous de lui », se dit Oreste. Et, comme l'avocat l'invitait à prendre un siège, il s'assit en ayant l'impression de rougir.

— Marie ! dit l'avocat. Marie, portez-nous du thé, du café, des brioches, enfin, de quoi restaurer ce jeune homme qui nous arrive tout crotté. Que s'est-il passé ? racontez-moi, demanda-t-il à Oreste.

— Rien, rien du tout, mais j'ai roulé toute la nuit, et, en certains endroits, par des routes pas très carrossables. Neige, gadoue, nids de poule... J'y ai laissé mon moteur, c'est-à-dire le moteur d'une Ducati qui, je dois le dire, n'était plus de première jeunesse. Pardonnez-moi, mais je suis épuisé.

— Je n'ai rien à vous pardonner. C'est Cecchino qui vous a trouvé cet engin ?

— En effet.

— Il vous a procuré un passeport ?

— Oui, et de l'argent.

— Montrez-moi ça.

Oreste tira son portefeuille et tendit ses papiers.

— L'imbécile..., murmura l'avocat en esquissant un sourire. Je pensais au prénom..., ajouta-t-il, et il releva la tête. Bon. Résumons-nous. Vous arrivez mardi dernier par le train de quinze heures sept en provenance de Cuneo. Je ne le jurerais pas, mais, après cette course que nous savons (enfin, que vous savez mieux que moi), je vous imagine sautant presque allégrement sur le quai. Vous jetez tout de même deux ou trois coups d'œil autour de vous — par acquit de conscience, si j'ose dire —, et, sous les longues voûtes sinistres de la gare, vous filez vers la sortie. Vous auriez pu emprunter le passage vers la via Sacchi, mais vous ignorez le souterrain. Donc, sortie Piazza Carlo Felice. Belle place, mais ce n'est pas le moment de faire du tourisme. Vous hésitez un instant ; vous prenez un taxi. (Vos décisions ne sont pas toujours bonnes, mais au moins vous êtes rapide.) Vous n'avez même pas à chercher l'adresse, vous la savez par cœur. Vous la dites au chauffeur — Corso Re Umberto, 246 — et, moins de dix minutes plus tard, vous sonnez chez moi.

— C'est exact... dit Oreste, qui s'était raidi dans son fauteuil.

— A partir de là, ma source de renseignement est tout bonnement Cecchino, mon factotum. Un Sicilien obscur, têtu, fin comme un renard (parfois même spirituel, votre passeport en est témoin), mais l'or n'est pas plus pur. Cecchino ne vous reçoit donc pas sans méfiance, vous fait asseoir dans le petit salon (dont il boucle prudemment la porte). Après avoir contrôlé vos allégations, il vous annonce que je suis absent de Turin, qu'il me remplace, qu'il va vous aider. D'après lui, il est difficile de dire si vous dissimuliez votre peur par amour-propre ou si les événements vous avaient rendu à demi fou, inconscient. Reste que, jusque-là, vous avez agi avec pas mal d'aplomb...

La domestique revint avec le petit déjeuner. Elle avait des gestes doux et les prunelles sans couleur des vieillards, mais son regard était très animé et très bon. Oreste grignota, se délecta surtout de café noir, qui avait une fluidité d'huile et un arôme de miel amer. Il hésitait entre une sorte d'anxiété et l'engourdissement du bien-être. Il aimait que Gasparinetti ne lui fît pas sentir son hospitalité.

— Oui, avec pas mal d'aplomb. Quelle est là-dedans la part de la chance, je n'en sais rien. Et vous non plus. Nous passons notre temps à corriger notre métaphysique en fonction de nos misérables expériences. Où en êtes-vous aujourd'hui ? Est-ce vous qui vous êtes *sauvé* ? Ou bien les Puissances mystérieuses (et impersonnelles, évidemment) qui président à toute chose vous ont-elles donné un coup de main ?... Mais revenons à l'essentiel. Qu'avez-vous fait durant ces trois jours ?

— Cecchino m'a conduit à un petit appartement...

— Je sais.

— Je n'en suis sorti que pour me promener, le plus souvent dans ce jardin qui est le long du Pô.

— Pas de coups de téléphone ? de rencontres ? de conversations de café ?

— Non, non.

— Pas l'impression d'avoir été suivi ?

— Non, rien du tout.

— C'est bien.

Gasparinetti s'était tu. Il s'était servi du thé, avait posé sa tasse fumante sur un guéridon et, lissant sa moustache grise, le regard vague, il réfléchissait. Il était long, plutôt élégant, avec un petit crâne dégarni, de grandes mains bleutées. Les veines y dessinaient un très beau réseau minéral. Oreste se rendit compte qu'il observait l'avocat depuis plusieurs secondes. Il détourna les yeux. Derrière les rideaux drapés, les carreaux des fenêtres étaient rayés d'une pluie blanche, aveuglante. Il neigeait.

— Excusez-moi un instant, dit l'avocat en se dépliant, il faut que je donne un coup de fil. Et il sortit de la pièce.

Oreste, sur le moment, resta dans son cabriolet. Il savourait avec ironie la chaleur de ce salon bourgeois. Puis il se leva, fit quelques pas. Il vit soudain s'avancer un homme aux joues mangées de barbe, avec de beaux yeux noirs inquiets. C'était un miroir. Il se déplaça, regarda quelques estampes, le grand portrait d'un gentilhomme en perruque à la main lasse et au regard sévère, sur une commode une série de vieilles photographies, et puis les meubles graciles, les tentures, les porcelaines. Il revint aux photos. Petits officiers à dolman et bonnet empanaché ; bourgeois en rase-pet ou redingote, moustaches de chat ou barbe carrée ; deux portraits d'un beau visage d'homme, l'œil sombre, le col relevé, années quarante ; pas de femmes, mais un vigneron un peu contraint, un marchand de bois devant sa boutique...

« Qu'est-ce que font tous ces gens ensemble ? » pensa-t-il.

— Etrange, n'est-ce pas ? dit Gasparinetti, et il sourit très gentiment sur le seuil de la pièce. Allons, vous devez avoir envie de prendre une douche, et de dormir, sans doute. Nous reprendrons plus tard notre conversation. Marie vous a préparé votre chambre. Je vous y conduis.

La chambre, à laquelle on accédait par un petit couloir compliqué, percé d'un œil-de-bœuf, et quelques marches, donnait sur le jardin, à l'opposé de la Grand-Rue. Il y avait une allée, deux énormes platanes faisant voûte, un grand portail de fer surmonté d'un chiffre. Le long du mur de gauche, derrière une haie dont la neige accablait déjà les branches, on voyait nettement une longue remise, une sorte d'appentis clos qui pouvait avoir quinze mètres. « Le garage », se dit Oreste.

— Là, c'est la rue de Savoie, dit l'avocat. Il n'est pas d'usage d'entrer par ce côté, mais je vous donnerai la clef.

« Autrement dit, deux issues », pensa Oreste.

— Trois, dit Gasparinetti. Trois issues, si l'on compte une méchante porte percée dans le mur du jardin, par laquelle on pourrait se jeter ni vu ni connu dans le passage qui nous sépare de la maison voisine.

— Cette ville a vraiment du charme, dit Oreste en admirant les toits aigus qui prenaient des airs vaillants sous les bourrasques.

— N'est-ce pas ? fit Gasparinetti.

Oreste ne résista pas longtemps à la chaleur, au parfum de cire et de fleurs qui courait entre les meubles, au sentiment de sécurité. Mais il dissimula le mieux qu'il put.

— Vous serez ici chez vous le temps qu'il faudra, lui dit l'avocat. Je ne vois que peu de gens, mais pensons à tout. Et à tout le monde. Ne serait-ce qu'aux commerçants. Marie est dévouée, elle ne lâchera rien que nous ne l'ayons auparavant absoute et même invitée à parler. Mais je connais deux ou trois boutiquiers qui donneraient cher pour agrémenter leur partie de tarots dominicale de nouvelles fraîches et, si possible, croustillantes. Vous serez mon petit-cousin ; vous avez besoin de repos : rien ne vaut la campagne française. Vous logerez ici. Pour le reste, comme je ne puis vous prendre totalement en charge... Laissez-moi finir. Nous nous arrangerons avec nos *amis* de Paris.

— Oui, dit Oreste, j'ai eu le temps de laisser des instructions à quelqu'un.

— Eh bien, avec le joli nom que vous portez maintenant, nous vous ferons ouvrir un compte ici. Et puis l'on trouvera bien à vous faire faire quelque chose. En attendant, reposez-vous, dormez, paressez, oubliez, si c'est possible. Rappelez-vous seulement que vous êtes dans une ville de province, une toute petite ville de province. Mettez de temps en temps le nez à la fenêtre :

ces jolis toits de tuiles plates sont des couvercles de marmite, et, à force de cuire, le ragoût est parfois très épicé. Cela dit, pour l'instant nous avons l'avantage. Votre arrivée a été discrète. Où avez-vous laissé votre moto ?

— A l'entrée de la ville, derrière un buisson.

— Prudence ou abandon ?

— Les deux peut-être.

— Elle est vraiment fichue ?

— Non, le carter doit être fêlé. A moins que ça ne soit un joint de culasse. Dans les deux cas, ça se répare.

— Prenez ma voiture, rabattez le siège arrière et allez récupérer votre machine. Nous la ferons bricoler. Elle pourra vous être utile, et moi, je n'ai qu'un véhicule. Vous la rentrerez dans le jardin.

— Oui, dit Oreste, mais je vais y aller à pied : elle est trop lourde, et je ne suis pas sûr qu'elle tienne dans la voiture. Ce ne sont pas cinq cents mètres qui vont l'achever.

— Très bien, dit l'avocat. D'ailleurs, rien ne presse. Profitez-en pour faire un tour dans les rues. Autant que vous commenciez à vous repérer.

Il avait cessé de neiger, le ciel était d'un jaune un peu gris, et très brillant. Oreste descendit jusqu'à la cathédrale — un monstre néogothique veillé par des maisons à jardinet. Trois dames à chignon et foulard de soie bavardaient sur la place. Il remonta la rue des Barons, tourna dans une ruelle, s'égara, sortit de la ville par un petit faubourg industriel, retrouva la rue de la République, par laquelle il était entré. Il arriva près du rempart. L'eau ruisselait. Il y avait de la douceur dans cet endroit un peu misérable. Il jeta un coup d'œil autour de lui, il dégagea la moto et l'enfourcha.

Il roulait lentement, pour étouffer le plus possible le bruit de son passage ; il observait les rues. Il se demandait quel repos il allait bien pouvoir trouver dans cette bourgade. La fuite avait ça de merveilleux qu'on ne pensait plus du tout. Ou du moins qu'on oubliait qu'on pensait. Il vit un chien jaune qui reniflait quelque chose d'immonde dans le caniveau. Des vieilles qui bavardaient sous la halle le regardèrent.

Il avait ralenti, s'était arrêté au feu rouge devant la poste. Sur le trottoir, une femme poussait devant elle deux gamins. Un tracteur tirant une remorque remontait vers la colline. Le paysan héla un type en salopette qui fumait devant une boutique. Une voiture de police venait de lâcher deux flics au carrefour, de l'autre côté du terre-plein. Le ciel gris brillait toujours, blessait les yeux. Le feu rouge n'en finissait plus. Oreste ajusta ses lunettes. Dans la voiture d'à côté, un homme le regarda sans le voir, longuement.

Le feu passa au vert.

Il démarra trop vite ; les flics le suivirent des yeux. Il tourna sur la droite dès qu'il put. « Tiens, se dit-il en ricanant, il y a même un palais de justice. » Deux rues plus loin, un camion de livraison bouchait le passage. Les gars gueulaient en déchargeant les caisses. On était juste derrière chez l'avocat. « Ce n'est pas le moment de faire des acrobaties sur les trottoirs », pensa-t-il, et il résolut d'attendre. Il coupa le contact, croisa les bras, observa les livreurs, se mit à rêver. Il se rappelait Turin, la grisaille des avenues immenses avec leurs tramways, les petites places d'opérette, le peu de sentiments qu'il avait éprouvés durant ces jours d'attente. Il s'était senti ailleurs, l'esprit exactement comme après une course : haletant, poreux comme une éponge, et, contre toute attente, léger. Une ou deux fois seulement, sans raison apparente, il avait eu peur. Autrement il se promenait le long du Pô, il suivait le fleuve durant des heures, il était comme ces débris que le fleuve emportait, ces petites feuilles jaunes qui flottaient sur le fleuve gris : en suspension. Au fond, c'est depuis Turin qu'il avait la trouille de s'arrêter. Là-bas, il avait ressenti de la paix.

« Mais alors, pensait-il, qu'est-ce que je fiche ici ? »

II

Il y avait eu un curieux redoux. On avait vu passer des orages qui s'en allaient éclater du côté des lacs, puis le vent était tombé, et une brume assidue avait noyé le pays. On n'y voyait plus clair à cent mètres. La nuit c'était pire encore : un enchantement transformait tout humain en vieillard précautionneux et glacé, de gros yeux jaunes se baladaient lentement dans les rues, et l'on entendait parfois des bruits de tôle froissée et des jurons. Dans la campagne, au détour des bocages noirs, on voyait apparaître des sortes d'étoiles glauques suspendues à peu de mètres ; c'étaient des fermes. Le jour, l'air était poisseux, acide, mêlé d'une odeur de bois brûlé. A sa fenêtre en chien-assis, Oreste fumait des cigarettes en regardant les formes que dessinaient dans le brouillard les hautes branches des arbres du lycée. Ou bien il faisait du feu dans le petit poêle et s'endormait. Enfin le froid nettoya d'un coup le paysage, et, quand la neige se mit à tomber, on eut l'impression que la lumière montait du sol comme une vapeur. Les façades des maisons brillèrent sur la neige bleue, et presque aussitôt tout retomba dans l'hiver. Oreste faisait le gros dos. C'était du moins ce qu'il se disait, là-haut, dans sa chambre, où le sommeil ne lui suffisait plus. Il tenta quelques promenades autour de la cathédrale ; son propre pas sur les pavés l'irritait. Il acheta le journal tous les matins (avec l'espérance inquiète d'y trouver des nouvelles), et la papetière finit par lui sourire. Il poussa même un jour jusqu'au bistro où il avait échoué le matin de son arrivée, mais, pour finir, il renonça à y entrer. Bientôt Gasparinetti lui demanda de le décharger de quelques courses, et il sauta sur la vieille Ducati pour foncer vers Armix, Artemare, ou même Hotonnes.

C'était un pays qui cahotait entre des monts de médiocre altitude mais plutôt lugubres et des vallées très tendres, pleines de petits châteaux. Un matin, en poussant vers le nord, Oreste traversa un long plateau désolé, littéralement nappé de givre. Pas le moindre talus, pas le moindre buisson qui ne fût gelé, cristallisé. On voyait très loin deux ou trois fermes avec leurs granges et, de place en place, de petits arbres en fer de lance ou en éventail qu'on aurait dit trempés dans du sucre. Rien d'autre. Le ciel presque blanc, translucide. Pendant plusieurs minutes, Oreste eut l'impression de voler hors du monde.

Les gros villages saccageaient cette perfection avec leurs entrepôts en préfabriqué et leurs salles des fêtes flambant neuf. Mais, sitôt qu'on les avait traversés, on pouvait rouler pendant des heures dans des forêts dont la robe grise semblait douce comme un pelage, ou s'arrêter dans des hameaux ruisselant de lumière et de neige fondue pour fumer une cigarette paisiblement assis sur la margelle d'un abreuvoir. Sauf à voir surgir à petite vitesse au coin de l'église une Renault bleue de la gendarmerie. Et le petit brigadier qui vous regarde, oh, sans suspicion, bien sûr, mais qui vous regarde, Dieu sait pourquoi, sans doute parce qu'à la campagne on se méfie toujours d'un visage inconnu, et que vous fumez soudain très nerveusement, que votre regard, surtout, ne sait plus où se poser, que votre cœur gonfle et se met à cogner dans la poitrine comme un oiseau qui voudrait s'envoler...

Oreste eut très peur. La voiture avait ralenti. Il jeta sa cigarette, il la vit tomber, rouler sur quelques centimètres, s'arrêter. Il se leva, monta en selle, un soleil éclatant déclinait dans la vallée, il mit ses lunettes, la voiture avançait, passait devant lui. Il ne regardait plus rien, il écrasait le kick. Il l'écrasa deux fois. A la troisième le moteur démarra. Comme groggy, il repartit — d'abord aussi lentement qu'il put, mais il n'avait pas fait trois cents mètres qu'il roulait déjà comme un fou. Alors que le jour tombait, il se retrouva au sommet d'un col, pataugeant dans la neige vers une cabane au toit de tôle. Il poussa la porte d'un coup d'épaule, se recroquevilla contre le mur ; il pleurait, il tremblait. Il resta là peut-être deux heures. La nuit et le froid l'en chassèrent.

La lune faisait luire la neige et découpait des bosquets de théâtre sur le bleu de la nuit. L'air était léger, glacé, le moindre craquement semblait résonner contre les parois du ciel. Oreste avait les jambes trempées, les pieds presque insensibles. Il suivait en trébuchant les trous noirs de ses pas. Pour finir il retrouva sa moto, couchée sur le bord de la route.

Lorsqu'il arriva en ville, il était très tard, plus de minuit sans doute. Il se traîna jusqu'à sa chambre.

— J'ai craqué, dit-il le lendemain à Gasparinetti, et il lui raconta ce qui s'était passé.

— Je n'ai rien à vous dire, lui répondit l'avocat posément, sinon que vous n'avez *matérielle-ment* rien à craindre. Vos papiers sont en règle, et nul n'ira vérifier que nous ne sommes pas parents, parce que cela n'intéresse personne. Cela dit, vous êtes ici chez vous, mais vous êtes libre. Vos émotions n'appartiennent qu'à vous, et vos décisions pareillement. Si vous n'étiez pas rentré, je n'aurais pas levé le petit doigt. Mais si vous appelez au secours, je suis là. Et maintenant, quel parti allez-vous prendre ? Vous préférez la chambre ou le grand air ?

— Laissez-moi le temps de me réveiller, dit Oreste.

— Tout le temps que vous voudrez ; mais sachez que vous pouvez vous rendre utile.

— En portant vos lettres ?

— Vous me rendez service ; c'est une façon de payer votre écot. Du reste, je sais ce qu'il vous en coûte, et mieux que vous ne le croyez. Mais il me semble que vous avez aussi trouvé du plaisir à ces escapades. Jusqu'à présent vous étiez comme étourdi. L'esprit se défend comme il peut. Maintenant l'air va irriter la blessure, mais il n'y a pas d'autre solution. Je pense qu'il vous faut de l'activité. Les nouvelles sont bonnes. Enfin, il n'y a pas de nouvelles ; tout est calme. Mais croyez-m'en : ne restez pas ici sans agir. C'est un conseil qui vaudrait pour tout le monde ; à fortiori pour vous. Je vais vous donner une autre occasion de me rendre service, et celle-ci ne devrait pas vous coûter, au contraire. J'ai peu de passions. C'est-à-dire qu'il ne m'en reste que deux ou trois. L'âge, vous savez, se fait moins sentir par le déclin des forces physiques que par l'effroi de voir se rétrécir l'extension du désir. Ce n'est pas qu'on souhaite vivre davantage, c'est qu'on souhaiterait désirer davantage de vivre. Pardonnez cette parenthèse : ce sera ma contribution à l'analyse du vieillissement. En deux mots, je ne serais pas fâché d'avoir un partenaire d'escrime sous la main, ne serait-ce que pour quelque temps. A Turin, j'ai mon cercle, mais ici... Vous imaginez ce qu'on peut trouver dans une ville de huit mille habitants, au fin fond de cette province, par ailleurs si attachante. Au début du siècle, oui. Certains de nos bourgeois et nos quelques familles nobles ont sur la cheminée de leur salon des grands-pères à moustaches en croc avec lesquels nous passerions de bons moments. Mais ceux d'aujourd'hui... Mon seul partenaire ici est le proviseur du lycée, Lucien Berthier — vous le verrez —, un homme très sympathique et, ma foi, bon sabreur. Mais il ne vient qu'une fois par semaine. On ne s'entretient pas à ce rythme-là. Or j'ai grand besoin de m'entretenir. Et je n'ai pas le courage de courir toutes les semaines à Chambéry ou au diable vauvert. Qu'en dites-vous ?

— C'est d'accord, mais...

— Ici.

— Non, dit Oreste, je voulais dire : c'est d'accord, mais mon niveau est très médiocre.

— Pas toujours, dit Gasparinetti avec un demi-sourire.

— Vous êtes cruel...

— Allons, allons, dit l'avocat, cela aussi fait partie de la cicatrisation.

Marie était entrée pour annoncer le dîner. Oreste croisa son regard et lui sourit. Gasparinetti lui témoignait beaucoup d'égards. Il devait avoir soixante ans, un peu plus peut-être. Il avait des yeux bleu foncé, des yeux de chat. « Comment tire-t-il ? » se demanda Oreste. Et ils se levèrent pour passer dans la salle à manger.

— Pourquoi m'aidez-vous ? dit Oreste.

— Selon vous ?

— Je ne sais pas.

— Nos amitiés communes ne vous suffisent pas ?

— Elles sont bien vagues.

— Elles ont été bien utiles.

— Quelle autre solution me restait-il ?

— Tss, tss, fit Gasparinetti, j'en connais qui auraient crevé plutôt que de demander de l'aide, ou même d'accepter celle qu'on leur offrait...

— Admettons, dit Oreste, cela n'explique rien sur vos mobiles.

— Vous ne trouvez pas que c'est un mot malheureux ?...

— Sans doute, dit Oreste agacé.

— Vous êtes bien placé, me semble-t-il, pour comprendre que beaucoup de choses nous échappent. Y compris de nous-même.

— Dois-je en déduire que vous ne savez pas très bien pourquoi vous m'aidez ?

— Touché ! dit Gasparinetti en souriant. J'ai cru jouer sur du velours, je me suis découvert.

— Non, dit Oreste, vous esquivez.

Dès le lendemain matin, ils descendirent dans le jardin. Marie avait balayé les allées, mais les rameaux des haies palpitaient craintivement sous le poids de la neige. Ils entrèrent dans la remise qu'Oreste avait prise pour un garage : c'était une salle d'armes, de fortune, mais très utilisable. Une sorte de linoléum de deux mètres sur quinze servait de piste.

— J'ai fait bricoler une isolation, dit l'avocat, mais il y fait assez frisquet l'hiver. On n'en tire qu'avec plus d'ardeur. Tenez, ajouta-t-il, vous êtes plus petit que moi, mais cette veste devrait vous aller.

Quand il rabattit son masque, Oreste éprouva une émotion fugitive mais très vive.

— Prêt ? dit Gasparinetti.

— Alors, maître, vous persistez toujours dans votre propos ? demanda Oreste, qui s'épongeait le torse dans le petit vestiaire.

— Si vous le voulez, je vous ferai travailler votre sabre. Pour commencer, votre garde est un peu ouverte, vous l'avez noté vous-même ; et votre parade de quinte, un poil trop basse. Tenez compte de ma taille. En revanche, vous avez beaucoup de succès avec vos attaques composées et votre coup de pointe en arrêt. De l'ennui de tirer sans cesse avec le même partenaire, nous allons faire une occasion de progrès. Car vous en aurez vite assez de prendre des touches à la manchette, et moi, que vous m'embrochiez — ce que vous faites avec beaucoup de conviction...

— Navré, dit Oreste, vous aurais-je fait mal ?

— Ce n'est pas ce que je voulais dire, rassurez-vous. D'ailleurs je porte toujours une petite cuirasse sous ma veste.

« Cochon de pédagogue ! se disait Oreste, il me flatte pour mieux me corriger. Dès la première touche, j'ai su que je perdrais tous mes assauts... »

— A propos d'armes, reprit-il tout haut, je regardais tout à l'heure dans la bibliothèque ces photos anciennes de trois chevaliers un peu déhanchés et fantastiques...

— Ah, vous avez remarqué ces clichés ? dit l'avocat. Je les ai sortis ce matin. Etonnants, non ?

— Oui, qu'est-ce que c'est ?

— Trois des vingt-huit statues réalisées pour le mausolée de l'empereur Maximilien à Innsbruck. Un ancêtre des Habsbourg, le roi Théodoric et le roi Arthur. Malgré les réserves de certains historiens quant à la paternité des deux dernières, on admet généralement qu'elles ont été dessinées toutes les trois par Dürer. Selon moi, nous n'avons aucun besoin de preuves philologiques : c'est une signature qui éclate dans la nervosité, l'invention, la grâce de ces figures. Les statues ont été coulées par divers fondeurs. J'aime beaucoup Dürer... Si cela vous intéresse, nous en reparlerons. Mais pour l'instant, reprit-il en consultant sa montre, d'autres tâches nous attendent. Je dois voir Lachaux ; il veut que je sauve quelques coteaux de vignes que j'ai vers Thurignin, et nous devons aussi décider des engrais de printemps. J'en profiterai pour nous ravitailler en vin, nous en avons besoin. Je vais le prendre en dame-jeannes, vous m'aiderez à le tirer. En attendant, voulez-vous me faire l'amitié d'aller jusqu'à Belmont porter à Mme d'Absonce une lettre que je vais vous remettre ? Berthier vient tirer à dix-huit heures. Rendez-vous ici.

Oreste alla déjeuner au café de la République. L'hôtel ne fonctionnait plus guère, mais la table était bonne et, dans la grande salle rouge, les habitués venaient jouer à la belote ou aux tarots jusque dans la nuit. Depuis trois jours, Oreste allait y boire un verre en fin de soirée. Entre les fenêtres et la cheminée monumentale en briques peintes (une main malhabile avait ravivé le joint d'un blanc crémeux), on pouvait s'asseoir en paix sur la banquette. Le brouhaha que faisaient les vieux avec leurs cartes et leurs petits verres était exactement ce qu'il souhaitait pour s'isoler dans une sorte de torpeur jusqu'à l'heure de dormir. Il regardait alors avec fascination les bibelots de pacotille et l'énorme tête de cerf, pelée par plaques, qui ornaient le manteau de la cheminée. Quand il entra dans la salle, au milieu d'une clientèle gonflée de graisse et de vin, la serveuse eut un petit sourire dans les yeux. Depuis un mois, Oreste ne pensait plus à l'amour. Il fut très surpris du désir qu'il éprouva d'un coup.

— Quel est votre prénom ? lui dit-il en la retenant doucement par le bras quand elle eut fini de prendre la commande.

— Sabine, répondit-elle sans se dégager, mais en rougissant un peu.

Oreste raconta n'importe quoi, juste pour la retenir, la faire sourire. Maintenant que leurs regards se touchaient, la pression de ses doigts sur le bras devenait inutile. La petite serveuse, avec ses yeux clairs, ses joues trop rondes, respirait une vie étrange, inerte et inquiète à la fois. Elle était là toute proche (il percevait son odeur), mais sans l'impudeur glacée que ces filles ont par l'habitude de se frotter aux clients. Elle était de la campagne, ou bien trop jeune, ou trop nouvelle. Elle s'éclipsa pour servir, revint à la première occasion, le quitta avec un regard. Quand, sur un signe, elle vint encaisser sa note, il la retint de nouveau. D'ailleurs, la salle s'était vidée. Elle tripotait du bout des doigts une mèche de duvet blond sur sa nuque.

— Ne me faites pas la cour, lui dit-elle tout à coup, j'ai un fiancé.

Le désir d'Oreste tomba. Il trouva tout ça fastidieux. Mais la fille s'émut de cette tête qui se détournait, se méprit sur le sens de ce mouvement, regretta sa phrase, lui dit en hâte :

— Je sors à trois heures...

— Non, dit Oreste, je ne peux pas. Ce soir.

Elle eut un instant d'hésitation. Oreste regardait sa bouche entrouverte et un peu humide, qui tremblait imperceptiblement.

— Alors, à onze heures, dit-elle, mais devant l'arrêt du car, sur le Mail ; et elle disparut.

« Sauter cette fille : en voilà une occupation ! » se disait Oreste. Il soufflait un petit vent aigre, qui retroussait les haies le long de la route. Il se rappela sa jupe, il eut des pensées très obscènes. « Curieux, se disait-il, les fluctuations du désir. » Et, exactement comme cette ligne abstraite qu'il suivait sans y penser sur la route, il essayait de s'en tenir à cette idée du sexe, qui confinait si vertigineusement à l'amour. Il s'y cramponnait même, et heureusement qu'il y avait ce vent froid, le soleil blanc qui l'obligeait à plisser les yeux, et la route qui commençait à grimper en larges courbes vers Belmont, heureusement que ce vieux pays était pour lui comme un désert, que les tilleuls d'une allée foudroyés par l'hiver, et les premiers toits gris du village, et la neige mêlée de purin qui coulait sur la pente, et deux oies qui s'aventuraient en zigzaguant sous un porche, le distrayaient de sa propre pensée.

Après l'église, la route redescendait. Il s'engagea dans le premier chemin à gauche.

On ne savait exactement pourquoi Les Eclaz avaient été bâtis sur le replat d'une vallée assez sombre, à l'écart de Belmont. A l'origine le château ne devait être qu'une ferme fortifiée. Contre le bâtiment primitif, enfoncé comme un coin dans une forêt de hêtres et de grands rouvres, on voyait s'arquer les angles d'un toit en carène, aux tuiles presque noires, flanqué d'une grosse tour de garde. Les jours où, poussant des troupeaux de nuages, les vents déferlaient des hauteurs en arrachant des cris aux arbres, on pouvait se payer de jolies frayeurs en se tenant au bout du mur d'enceinte, qui dessinait à la pointe de la cour une terrasse rustique à dix mètres au-dessus du jardin et des bosquets couchés par la tempête. Mais, ce jour-là, sous la neige, tout était calme et tendre. Le vent était tombé. On respirait une odeur de mousse, de feu de bois, de feuillages mouillés.

— Ah, voilà le *petit-cousin* ! dit Mme d'Absonce, qui retirait des gants de jardinage en regardant Oreste s'avancer dans la cour. Je croyais que notre ami Gasparinetti n'avait pas de famille... Bonjour, monsieur, et elle tendit le bout de ses doigts en plissant des yeux charmeurs. Vous avez un air un peu ténébreux, et je ne sais pas ce que je ferais si je vous rencontrais au coin d'un bois, mais vous êtes joli garçon. D'ailleurs, on me trouve rarement au coin d'un bois. Gasparo vous envoie donc en estafette ? Quelle idée ! Comme si nous n'avions pas le téléphone... Ah, j'ai beaucoup d'amitié pour lui ! Et même plus que de l'amitié, avouons-le... A notre âge, vous savez... Vous arrivez d'Italie, paraît-il ?

— En effet, madame. Je suis là depuis vingt jours à peine.

— Et comment trouvez-vous ce pays ?... Vous avez vécu à Paris, je crois ?

— Autrefois, oui, dit Oreste étonné.

— Souhaitons que l'ennui ne vous gagne pas trop vite... Oh, regardez donc ici ! Non, non, ce ne sont pas des perce-neige, ce sont des nivéoles. Tout un parterre !... Mais venez, venez, rentrons prendre une tasse de thé.

« Moi, c'est bien simple, je n'ai pas de passion, disait Mme d'Absonce. Vous m'avez trouvée dans mon jardin, en bottes et gantée comme une maraîchère, et je m'y sens bien. Mais je suis fort aise ici, dans mon salon, dont j'espère que vous appréciez l'éclatant chintz bouton d'or. J'en suis très fière. J'aime le thé, mais j'aime aussi le bon vin, et la vodka glacée, pourvu qu'elle soit vraiment très forte. J'aime surtout la campagne, et qu'on me fiche la paix ! Naturellement je ne dis pas ça pour vous. Mais assez parlé de moi, dites-moi un peu qui vous êtes...

— Je m'en suis assez bien tiré, dit Oreste à l'avocat. De toute façon, Mme d'Absonce est trop polie pour que ses questions aient pu devenir embarrassantes.

— Vous avez remarqué, dit Gasparinetti, que

les oiseaux bougent sans cesse la tête avec une charmante brusquerie. Fauvette ou vautour, ils ne tiennent pas en place. Eh bien, pour la pensée, Mme d'Absonce ressemble assez aux oiseaux. C'est l'être le plus inépuisable en mouvements de la pensée que je connaisse. Mais ne vous méprenez pas sur elle, ni sur mon ironie. C'est un être très doux, et d'une grande pénétration... Ah, voici Berthier.

III

L'idée de l'avocat ne l'emballait pas du tout.

— Croyez-vous que ça soit bien nécessaire ? disait-il à Gasparinetti.

— Nécessaire, peut-être pas, mais bienvenu, oui. En somme, dit l'avocat en souriant, ce sera votre *entrée dans le monde*... Je veux dire dans ce monde-ci. Puisque vous allez rester quelque temps parmi nous, c'est encore la meilleure façon de couper court aux potins. Du reste, vous connaissez déjà Mme d'Absonce et Berthier. Il n'y aura pas plus de huit à dix couverts. Juste de quoi banaliser votre arrivée. Je ne donne jamais, pour ainsi dire, de dîners de ce genre, mais justement. Tenez, je vais même inviter quelque jeune héritière de la région. On ne doutera plus de la manœuvre.

— Vous avez raison, dit Oreste accablé.

— Ah, ça, mon cher, je ne vous garantis pas, en effet, la beauté de l'héritière ! Quant au représentant de la culture locale, le Père Flandrin, il est assez fatigant, je l'avoue, mais je ruinerais mon crédit auprès de lui en ne l'invitant pas. Or ce monsieur peut m'être utile. Les deux ou trois autres invités ne seront là que pour étoffer la caution.

— Et après ?

— Après ? Rien du tout. J'aurai fait, dans deux ou trois maisons du pays, l'événement du jour. Au pire, on se croira obligé de me rendre mon invitation. Et de vous inviter par la même occasion. Nous n'aurons qu'à refuser. Aussitôt connue, l'arrivée du *petit-cousin* sera une affaire classée, et tout retombera dans le train-train quotidien.

— Puisque vous le dites...

— Vous verrez, dit en riant Gasparinetti, ça n'est qu'un mauvais moment à passer.

— Désolé d'en être la cause.

— Je ne m'inventerais pas ces mondanités de clocher si vous n'étiez pas là. Mais, du moment que c'est décidé, je vais essayer d'en tirer un peu de plaisir, ou du moins d'amusement.

Ce fut le Père Flandrin qui arriva le premier. Avec dix bonnes minutes d'avance. C'était un grand brun osseux, sans cesse agité, la voix perçante, riant toujours. Il était loin d'être bête, adorait Hopkins, adorait beaucoup de choses, mais toujours envahissant, exalté. Pudique sur un seul point : son amertume d'être enterré dans cette province, lui qui publiait à Paris. Tout de suite il se mit à parler de son dernier article. Il était en civil, mais on voyait voler la soutane autour de ses grands bras. De temps en temps, pour les immobiliser, il nouait les mains sur ses genoux, et ses doigts ne cessaient alors de se compénétrer de très nerveuse façon.

Mme d'Absonce avait décliné l'invitation. « Vous ne me connaissez donc pas ? » avait-elle vertement répondu à Gasparinetti. Et celui-ci, pour équilibrer son plan de table, avait pensé à la tante de la jeune héritière. Justement ces dames arrivaient. La tante était une vieille personne assez distinguée, et Armelle Jossin, l'héritière, une fille d'une trentaine d'années, vierge peut-être, mais pas laide (malgré des mollets de vachère), et qui paraissait assez vive.

Suivirent les Berthier, lui sombre et correct, madame, de milieu plus modeste, dans une robe épinard et parlant surtout avec les yeux, car elle n'avait pas grand-chose à dire. Enfin arriva Mme Bellon-Fauré, une veuve d'environ cinquante ans, florissante, un peu hâlée, les yeux vifs, qui faisait des affaires dans l'immobilier et fricotait avec les cercles populaires de la ville (y compris le Secours laïque et l'Académie de billard), car elle préparait son élection au Conseil municipal. On la considérait le plus souvent comme un voltigeur de la bonne cause, et l'on fermait les yeux sur ce qui n'était que trop visible. Elle partait le surlendemain pour l'Amérique du Sud.

Elle eut à peine le temps de faire une allusion discrète à ce voyage. Sans qu'on s'en rende vraiment compte, en moins d'un quart d'heure, Armelle Jossin s'était emparée de la conversation, et, tant pour faire pièce à la faconde du prêtre que pour étouffer comme elle le pouvait les feux séduisants de la veuve, elle enfilait avec beaucoup de brio les anecdotes. Elle était à elle seule les archives du département. Alliances, mésalliances, héritages, vices prétendus ou avérés, liaisons, elle savait tout. Ses gros yeux verts, à fleur d'une peau un peu rougeaude, avaient beau se faire rieurs pour adoucir ses épigrammes, elle avait un regard étrangement insensible, et sa main brodait souvent dans l'air la fin de ses phrases. Car, tout en gardant au fond de son fauteuil une attitude détendue et un peu supérieure, il s'agissait d'aller vite, d'assurer tout de suite son avantage, et de ne permettre par-ci par-là que les fugitives reparties toujours utiles à la relance du récit, sans offrir le moindre interstice où l'adversaire pût glisser le pied.

Le prêtre avait cédé.

Les Berthier bayaient, baba.

— Si j'avais autant d'esprit, je briguerais la députation ! dit doucement Mme Bellon-Fauré.

Oreste se demanda si c'était naïveté ou pure perfidie. L'héritière l'agaçait déjà, et il voulut aussitôt en savoir davantage sur les activités de sa charmante voisine ; Gasparinetti, profitant de cette occasion de rétablir les choses, s'empressa de s'en mêler, et il se créa ainsi une deuxième conversation.

Armelle Jossin, surprise mais n'en voulant rien montrer, avait baissé les yeux une demi-seconde (non par pudeur, mais juste pour laisser le temps nécessaire à la phrase malencontreuse de se dissiper ; personne, pensait-elle, n'aurait le front d'en profiter). Quand elle les releva, le Père Flandrin avait tourné la tête, Lucien Berthier, soulagé, glissait un mot à sa femme, et la conversation était générale.

— Je vous fais là un aveu..., disait Mme Bellon-Fauré à Oreste.

— Et vous, cher maître, depuis quand votre famille est-elle installée ici ?

— Ma mère était une Chabot, dit Gasparinetti. C'est d'elle que je tiens cette maison.

— Une Chabot ? dit la tante d'Armelle, mais alors nous sommes cousins !

— N'est-ce pas merveilleux ? dit l'avocat d'un ton angélique.

— Saviez-vous que Rousseau avait fait de la musique à l'évêché ? disait Berthier au Père Flandrin.

— Vraiment ?... répondit le prêtre, vexé qu'on lui dame le pion sur une question littéraire.

— J'ai déjà une permanence, disait Mme Bellon-Fauré.

— Et où donc ? fit Oreste.

— Rue Saint-Jean.

— Près de la cathédrale ?

— Exactement. Entre nous, ajouta-t-elle un peu plus bas avec un air entendu, j'aurais préféré un quartier moins, disons, marqué... Ah, quel dommage que je parte après-demain ! je vous aurais montré mes locaux, s'exclama-t-elle avec un regard un peu appuyé.

— *I remember a house where all were good...*, dit d'un ton subtil le religieux vers Lucien Berthier, mais de telle sorte que Gasparinetti l'entende.

— ... *To me, God knows, deserving no such thing*, acheva Gasparinetti.

Le prêtre resta saisi d'admiration, de bonheur, durant quelques secondes.

— Ah, Hopkins ! Hopkins !... répétait-il avec un air extatique.

— Mon mari prétend..., dit Mme Berthier en prenant sa respiration.

Elle n'eut pas besoin de pousser plus avant.

Armelle Jossin avait récupéré une partie de son auditoire. Il avait suffi que sa tante se porte un instant à son secours pour refaire pencher la balance en sa faveur. Oreste, tout en écoutant le babillage de la veuve, se demandait quel pouvait être l'enjeu de ces luttes minuscules. Il échangeait parfois un regard avec Gasparinetti.

Berthier bougonnait parce que la tante d'Armelle laissait entendre que toute l'Education nationale était noyautée par les francs-maçons.

— Pardon, pardon..., disait-il.

— Tous les discours du monde n'y feront rien, lui dit à voix basse Oreste. Dommage qu'on ne puisse pas tout régler comme un assaut de sabre.

— Ah, vous êtes d'accord ? lui dit Berthier, toujours choqué.

Gasparinetti riait à l'intérieur de ses yeux bleus. Il était un peu comme une divinité, pensait Oreste. Il se tenait à l'écart et ne donnait un coup de patte que pour corriger le mouvement de ces astres minables qui tournaient autour de lui.

Non, il descendait aussi dans l'arène pour jouer son rôle, mais Oreste trouvait alors qu'il en rajoutait et se demandait s'il ne semait pas parfois les germes invisibles mais exacts de la discorde pour jouir du résultat. Tantôt Bouddha, tantôt Méphisto.

— Je me suis laissé dire qu'on voulait supprimer les chapitres des chanoines, dit soudain la tante d'Armelle. Que faut-il en penser, mon père ?

Le balancier revenait donc vers le prêtre.

— Serait-ce un piège ? glissa Oreste à Berthier.

— Vous pensez ?...

— Qui sait ?

— ... On parle depuis longtemps d'une réforme. Mais je ne sais pas si nous assisterons pour autant à la mise à mort de cette institution vénérable, répondit habilement le Père Flandrin.

— Peut-être attend-on discrètement qu'elle meure d'elle-même, comme les vieillards...

On se récria.

— Ma tante..., dit Armelle Jossin sur un ton d'affectueux reproche.

— Je vous remercie de votre sollicitude, dit la vieille dame un peu pincée, mais je ne pensais pas à moi.

— Mais personne n'y a pensé, ma tante, nous

avons simplement trouvé votre remarque un peu cruelle pour l'humanité...

On se leva pour passer au salon. Oreste crut voir s'éparpiller les boules d'un billard. Gasparinetti se mit à faire la cour à Mme Bellon-Fauré ; Berthier, le dos droit, la tête inclinée, s'efforçait de convaincre de quelque chose la vieille dame, qui hochait la tête ; et le Père Flandrin dansait comme un grand animal inquiet autour d'Armelle Jossin, laquelle se dirigeait impavide vers le fond du salon.

Restait Mme Berthier, qui défroissait discrètement sa robe.

Oreste poussa intérieurement un soupir et s'approcha d'elle.

« Vive les soubrettes ! » pensa-t-il.

Et ils entrèrent dans le salon.

— Vos invités sont parfaits, dit Oreste à l'avocat le lendemain. Je n'ai pas eu droit à la moindre question sur mon passé. On ne saurait imaginer moins de curiosité...

— Détrompez-vous. Moins de politesse, si vous voulez, mais (les Berthier mis à part), sans avoir l'air d'y toucher, ils vous ont tous observé, disséqué — et, à peine sortis, ils vous ont probablement réglé votre compte. Comme on le fait aux gens de bonne compagnie, naturellement.

L'avocat semblait trouver ça très drôle.

— Enfin, continua-t-il, ils en savent assez pour que vous fassiez désormais partie du paysage. C'est l'essentiel.

— Mais comment ?

— Oh, il a suffi que je distille deux ou trois choses. En tout cas, vous êtes écarté comme prétendant à la main de la petite Jossin...

— Merci bien.

— Une peste, en effet, dit l'avocat.

— C'est le moins qu'on puisse dire.

— Que voulez-vous ? Je suis bien obligé de frayer avec ces gens-là. Heureux, vous que rien n'attache...

Oreste fit la moue.

— Pardon, dit Gasparinetti, je vous ai blessé.

— Ce n'est rien.

— Il est étrange qu'on puisse aussi facilement tomber dans les pièges dont on est censé le mieux se garder. C'est sans doute qu'à force de prévoir, on ne regarde plus où l'on met les pieds. Ça commence avec les mots...

— Et ça finit comment ?

— Ce n'est pas du tout ce que je voulais dire. Vous ne pensez donc qu'à votre histoire ?

— Mais votre avis ?

— Grosso modo, vous le connaissez. Il suffit de démêler les trois fils. Il y a d'abord le point de vue, disons, pénal. C'est au fond le plus simple.

— Vous trouvez ?

— Je n'ai pas dit le moins grave.

— Pardon.

— Donc, le plus simple, croyez-en mon expérience. Mais il y a les petites manigances de S., et ça, c'est beaucoup plus embêtant. Et puis il y a le reste...

Oreste baissa les yeux.

— Et là, reprit Gasparinetti, qui sait ? Le temps, le hasard... Le temps, de toute façon.

— Joli programme...

— Mais, mon cher, tout le monde a connu ça !

— Je sais, dit Oreste. Mais ce n'est pas une raison.

Il monta lentement dans sa chambre, tourna un moment entre le lit et la fenêtre, puis résolut de prendre l'air. A cette heure, la Grand-Rue était presque déserte. Le ciel était d'un bleu très pâle, sur quoi semblaient galoper de grosses nuées, enflées comme des gorges d'oiseau. Ces visions lui plurent. La lumière glissait sur les façades. Sur le pas de la porte, balançant s'il irait à droite ou à gauche, il s'amusa un instant de la buée qu'il expirait comme un animal dans l'air froid. Il choisit de monter vers le café. La rue était comme coupée à mi-hauteur par la lumière. Lui, il marchait dans le noir. C'était étrange avec là-haut tout ce ciel clair. « Surtout ne pas y voir un symbole », pensait-il. « Et pourquoi pas ? se rétorqua-t-il à lui-même. Quel que soit le confort dont je jouis, ne suis-je pas précisément dans une sorte d'enfer, ou du moins de *no man's land* ? » Donc, très bien, le hasard voulait que la conjonction fortuite de l'heure et de l'angle de la rue représentât une image de son sort. Et ensuite ?... Il se perdit un peu dans ses réflexions. Après le dîner de la veille, il avait envie de voir la petite serveuse. C'était ça qui le guidait. Pas forcément de lui faire l'amour, mais simplement de la voir. Il n'était pas du tout certain qu'elle vaille au fond beaucoup plus que les autres, mais elle avait une beauté enfantine, une lumière animale, quelque chose d'*innocent*. C'était tout le contraire d'un mérite, c'était un privilège — mais qui valait largement, en fait de capacité au bonheur, celui de naître bourgeois ou de pouvoir ambitionner quelque rôle dans une sous-préfecture de huit mille habitants.

IV

— ... Je ne sais si c'est l'âge ou, au contraire, mon besoin d'activité, mais je me réjouis sacrément de la fin de l'hiver. Je ne suis pas sûr que ce soit votre cas... Est-ce que par hasard vous regretteriez le froid et ce candide manteau de neige qui est en train de partir en eau de boudin ? En vérité, je n'aurais pas de peine à vous comprendre : on peut trouver dans l'hiver une sorte de confort paisible, une protection. Au fond, c'est un peu le sens de votre escapade de l'autre jour. Oui, je sais que vous attachez une autre valeur à cette petite aventure — mais elle n'épuise pas pour autant le sujet. Vous êtes coupable ? D'accord — mais ne le seriez-vous pas *de toute façon* ?

« En vérité, mon cher, nous sommes tous coupables. Je ne dis pas ça pour vous soulager ; vous n'en avez pas besoin. Je vous vois même vous draper dans votre passé récent avec pas mal de crânerie. Dois-je vous parler franc ? Je suis tenté de penser que le besoin d'expier est antérieur (mais dans quel temps ?) à la culpabilité. On trouve toujours une bonne raison d'expier. On a même vu des gens étriper père et mère, non seulement pour mettre enfin un nom et une image à leur sentiment d'être coupables, mais pour pouvoir enfin se livrer à l'expiation !

« Je me nomme Gasparo Gasparinetti. Depuis quatre ou cinq cents ans, les Gasparinetti s'appellent Antonio ou Gasparo, de père en fils. Vous vous demandez dans quelle digression je me lance ? Attendez, et je dirai : profitez-en, car ce sont des confidences que je vais vous faire. Bien sûr, ces confidences n'ont de valeur que pour moi, n'ont de valeur que dans la nature de confidence que je leur attribue. Mais comme vous vous sentez un peu pris au piège, et que vous ne refrénez pas parfaitement votre irritation à dépendre de moi, vous ne serez pas fâché d'en savoir un peu plus sur votre *sauveur* et de découvrir une petite faille dans sa belle statue... Enfin, voici.

« Mon trisaïeul, Antonio Gasparinetti, fit partie de ces jeunes Lombards de bonne naissance (enfin, pas tous ; il y avait aussi pas mal de voyous et quelques mafieux *ante litteram*) qui, en 1796, accueillirent les Français à bras ouverts. A bras ouverts, c'est peu dire. Ces jeunes gens-là se disaient *jacobins* ; ils firent jonction avec les *patriotes* que l'armée française transportait dans ses bagages depuis Oneglia, ne coupèrent pas trop de têtes, mais, à l'ombre du drapeau vert-blanc-rouge, firent une jolie carrière. Très pure, très valeureuse, pour la plupart. Ce fut le cas de mon aïeul. Officier de la Cisalpine, puis de la République italienne, enfin du Royaume d'Italie, il fut de toutes les batailles. Au physique, mince, la taille bien prise, comme on disait alors, et plutôt bel homme. Vous l'imaginerez sans peine en vous rappelant ces portraits d'officiers révolutionnaires à cadenettes et longues moustaches. Mais, chez lui, ce fut une coquetterie de brève durée. En montant en grade, il coupa ses tresses et raccourcit la pointe de ses *baffi*. Il avait un habit vert à parements roses, des culottes blanches moulant la cuisse, un casque indescriptible, et des bottes cavalières qui craquaient doucement sur les pavés. Les cœurs craquaient aussi. Ça, évidemment, c'est le portrait officiel, en jeune homme. En Russie, ce fut autre chose. Antonio vit peu à peu partir en lambeaux son bel uniforme et cette division italienne qui se battait avec tant de férocité que l'Empereur avait fini par se rappeler qu'il était italien lui aussi. Le général (car entre-temps on lui avait donné une brigade) revint comme tous ceux — c'est-à-dire une poignée — qui revinrent : en haillons ; et avec une oreille en moins. Elle avait gelé quelque part entre Moscou et le Danube.

« Il n'avait pas l'ampleur militaire de Fontanelli, ni la finasserie politique de Pino, mais il était brave, et il aimait ses hommes. On raconte que, durant cette terrible retraite, étant parti seul à la recherche d'un caporal, déjà plus mort que vif, qui avait dû s'égarer dans le brouillard ou tomber d'épuisement, il s'était trouvé nez à nez, au détour d'un bois, avec deux énormes cosaques. Situation ridicule. Un petit général italien en guenilles, se soutenant tant bien que mal dans ce désastre glacé, face à deux ours de plus de six pieds de haut, pommettes cirées, rire éclatant, et décorés de couteaux et de cartouchières comme des arbres de Noël. L'histoire ne dit pas comment il s'en sortit. Moi, je n'y crois pas, tout simplement.

« Mais n'ayez crainte, je ne vais pas vous refaire toute la retraite de Russie et la fin de l'Empire. Je saute les derniers chapitres. Et je résume. Un héros ? peut-être pas ; mais un homme courageux, oui, et droit. Carrière impeccable, couronne de fer, légion d'honneur, et tout le bataclan. Avec ça, une femme très plaisante, quatre enfants, une petite villa sur le lac de Côme... Tenez, celle que vous voyez là sur cette aquarelle... — Bon. Napoléon abdique. Eugène de Beauharnais tente de sauver le Royaume ; il échoue ; il s'en va. Quand il fait ses adieux devant le palais des Gonzague, à Mantoue, l'armée pleure. (J'adore les larmes de ces soldats.) Mais c'est autant de rage que de tristesse. Tout le monde complote, y compris les généraux. Deux ou trois conjurations se dissolvent juste à temps. Mais, au moment où les troupes italiennes, retombées sous le contrôle autrichien, vont être évacuées vers la Hongrie, on apprend comme un coup de tonnerre l'arrestation de Gasparinetti. Et en moins de quinze jours, c'est la rafle : Rasori, Zucchi, Brunetti... L'armée est décapitée.

« Le fin mot ?

« Antonio, vendu par un mouchard, avait donné ses camarades.

« En somme, je descends en droite ligne d'un traître. Je reconnais que la phrase sonne un peu tragique. Mais à quoi bon minimiser ? On serait bien en peine de trouver des excuses au général. Les Autrichiens n'étaient pas aussi mauvais bougres qu'on nous l'a dit. Je vous passe les détails ; pour vous, tout ça, c'est des vieilles lunes. Mais vous pouvez me croire. Des justifications, au moins ? J'en ai cherché — et l'on peut en trouver. Mais, au fond, qu'est-ce que ça change ?...

— Excusez-moi, dit Oreste, mais que voulez-vous me dire au juste ?

— Rien *au juste*, répondit Gasparinetti. Je suis avocat, mais ça fait belle lurette que j'ai laissé tomber les plaidoiries et les démonstrations. Vous croyez qu'on s'en sort comme ça ? Les démonstrations, c'est comme la neige dont je parlais tout à l'heure : ça rassure, mais après ? L'autre n'est jamais là où on l'attend.

« C'est exactement ce que je pense de lui », se dit Oreste. Et il regardait l'avocat, enfoncé dans son club, qui le regardait en souriant. On devinait ses yeux à un reflet de métal que leur donnait l'éclat d'une grosse lampe. Au-delà des fenêtres, un ciel vert et bleu glissait entre des nuées. « Un ciel de théâtre », pensa Oreste.

— Soutenons d'un peu d'alcool cette conversation, dit Gasparinetti, vous ne m'avez pas l'air très flamme... Et il se leva pour verser du cognac.

« Et si je vous faisais goûter ma grappa ? Oui, goûtez-moi ça, c'est exactement ce qu'il vous faut, ajouta-t-il en tendant un verre à Oreste.

— Monsieur, dit Marie apparaissant à la porte, on vous demande au téléphone.

— Qui donc ?

— Cecchino. Il veut vous parler, Monsieur.

— C'est bien, j'arrive. Excusez-moi, dit-il à l'adresse d'Oreste.

La nuit était tombée. Le ciel était d'un bleu de velours. Oreste alla vers la fenêtre et écarta les rideaux pour observer la rue. Quelques jours plus tôt, la ville se vidait à cinq heures. On aurait dit que l'infime changement horaire avait remis en marche un mécanisme très simple mais un peu merveilleux. Toutes les boutiques étaient éclairées, il y avait des allées et venues de voitures, et les paroles du boucher, qui bavardait sur le trottoir avec une petite dame, faisaient un halo de buée sous la clarté du lampadaire. Oreste vit passer la jolie brune du magasin de sport, puis Sabine sur son vélomoteur. Elle filait le nez dans le froid, les yeux plissés, ce qui lui donnait l'air puéril et désarmé. « J'irai la voir ce soir », se dit-il.

— Je vais vous laisser seul quelques jours, dit Gasparinetti. Je dois faire un tour à Turin. Il avait l'air préoccupé, et même un peu las.

— Quelque sauvetage, sans doute ? dit Oreste.

L'avocat le regarda.

— Il faut parfois songer à se sauver soi-même, pensez-y, répondit-il.

Oreste trouva dans ces mots une nuance de menace. Mais l'avocat avait déjà repris sa contenance, et son ton affable.

— Marie vous servira ; vous êtes chez vous. Si jamais l'envie vous prend de fiche le camp, allez-y. Mais si vous m'attendez, je serai heureux de vous retrouver. Du reste, j'aurai peut-être du nouveau pour vous. Je partirai cette nuit, de Chambéry. Il y a un train à deux heures quarante-huit. Une heure de fou, mais à mon âge, cinq heures de sommeil sont suffisantes. Je prendrai un acompte après le dîner, et vogue la galère. A six heures, je serai rendu. Je suis désolé de vous gâcher votre nuit, mais je vais vous demander de m'accompagner jusqu'à la gare. Vous en aurez pour deux heures de route aller-retour.

Sans se retourner, Gasparinetti agita la main et disparut sur le quai. Oreste sortit de la gare et repartit dans la nuit avec une sensation de légèreté. Dans la coquille de la voiture, il pouvait profiter de la chaleur ; mais, avec une nuit pareille, il aurait préféré cavaler sur sa moto, glacé jusqu'à la moelle. L'air était presque cinglant, et pourtant doux de la lumière grésillante des étoiles. Durant une seconde Oreste fit la folie d'éteindre ses phares pour jouir de ce scintillement blanc dans les couloirs que formaient d'immenses peupliers dont il croyait percevoir la musique. Il s'arrêta sur le bas-côté, et en effet il entendit. C'était comme une note que les feuilles trillaient sous le vent, au-dessus d'un bruit d'eau lointaine. De l'autre côté de la route, des collines noires semblaient couver des maisons dont on voyait luire les faîtages de métal. Il repartit. Il aurait conduit comme ça pendant des heures. Un instant il fut tenté de passer prendre son sac et de disparaître. Mais il savait que l'improbabilité de son repaire était pour l'instant sa meilleure défense. Et ce port de fortune valait mieux qu'une errance où il n'avait plus rien à fuir, étant déjà dépouillé de tout.

Cette douceur dura les jours suivants. La neige fondait tranquillement, irriguant l'air d'une vapeur qui faisait trembler l'horizon. Les choses se réveillaient, les toits ruisselaient d'étincelles, et du côté de la tannerie le bruit des klaxons sonnait comme de petites fanfares. Bien qu'Oreste s'ennuyât souvent de sa conversation, l'absence de Gasparinetti était aussi bienfaisante. Le 16 mars, au matin, le téléphone sonna.

Presque aussitôt il entendit le pas pesant de Marie qui se hâtait dans l'escalier.

— Monsieur demande que vous le rappeliez tout de suite à Turin, lui dit-elle, mais pas d'ici : d'une cabine publique. Dépêchez-vous, Monsieur, c'est urgent.

Oreste dévala la Grand-Rue vers la place de la Cathédrale. Entra dans la cabine, bourra de pièces l'appareil, composa le numéro.

— Vous êtes dans une cabine ? lui demanda l'avocat. Donnez-moi le numéro et raccrochez. Je vous rappelle.

La monnaie retomba avec un bruit de jackpot. Oreste décrocha à la première sonnerie.

— Il faut que vous filiez, lui dit Gasparinetti. Je peux me tromper, mais Marie a reçu un coup de fil bizarre ; ça m'a tout l'air d'être un début d'enquête. Ces types-là ne sont pas malins d'user de simulations si grossières, surtout s'ils sont arrivés jusqu'à moi. Je pourrais vous envoyer à Besançon, ou vous accueillir ici, mais il n'y a quand même pas de raison de paniquer pour l'instant. Fourrez discrètement votre Ducati dans la voiture — vous y arriverez ? Oui, bonne idée. Donc, chargez la moto et filez à Culoz. Un peu avant la gare, trouvez un chemin de traverse à l'abri des regards — il doit y en avoir un juste après la cimenterie — et planquez la moto.

Ensuite, rangez la voiture devant la gare. Bien en évidence. Laissez les clefs dans la boîte à gants, un peu dissimulées tout de même. Lachaux viendra la chercher ; ou moi, si je rentre par Culoz. Vous, retournez à votre engin et réfugiez-vous à Belmont. Ne passez pas par Artemare ; prenez par le nord. Suivez le flanc du Grand-Colombier et coupez par Virieu. Vous arriverez aux Eclaz par le col de Sainte-Blaizine. Mme d'Absonce est prévenue. Terrez-vous là-bas et attendez de mes nouvelles.

« Enfin ! » se dit Oreste, et il claqua la porte de la cabine. Il remonta vivement la Grand-Rue. C'était dimanche. Entre deux messes, à cette heure, il n'y avait pas grand-monde. Il aperçut tout de même le Père Flandrin qui courait vers la cathédrale. Dix minutes plus tard, Marie lui ouvrait le portail rue de Savoie.

Il suivit à la lettre les instructions de Gasparinetti. Il se donna simplement le plaisir de traîner le long des étangs qui sont au pied de la montagne. Le ciel s'était couvert ; l'eau était couleur de limaille avec des reflets d'or, et des volées d'oiseaux la frôlaient avec de petits cris d'extase. Oreste s'assit sur la berge. « Au fond, se disait-il avec assez de lucidité, je ne suis pas fâché de cette menace. » Il pensait qu'il n'avait jamais connu d'états d'âme aussi étranges. Tantôt Gasparinetti lui manquait, tantôt il lui était insupportable, et il l'aurait volontiers envoyé au diable. Peut-être le détestait-il simplement parce que c'était son *sauveur.* « Et lui ne m'aide que parce que je le distrais de sa solitude, ou que je justifie la bonne opinion qu'il a de lui-même... Jolie humanité, ici comme ailleurs. »

Il repartit à petite allure. En certains points du ciel, il y avait des batailles très vives entre la lumière et de grandes figures noires aux joues gonflées, qui disparaissaient presque aussitôt, comme aspirées par l'infini. Mais, sur l'horizon bosselé, le ciel était paisible et d'un bleu de lavande. A Virieu (trois maisons au toit fumant, un chien qui bâillait devant un portail, une épicerie poussiéreuse), Oreste acheta du pain, du fromage et de la bière. Il glissa vers Champagne, esquissa du guidon quelques mouvements de danse dans la descente, passa le village et se retrouva au carrefour de la route d'Hauteville. Il s'arrêta pour laisser passer une voiture. A trois ou quatre cents mètres, une mobylette arrivait tranquillement. Oreste la vit qui ralentissait peu à peu, puis elle disparut dans le tournant. Il traversa et s'engagea sur la route de Sainte-Blaizine. Le ciel était devenu d'un gris presque blanc. Le soleil étincelait entre les arbres. La route s'était mise à grimper très sec, et, à contre-jour, le col avait l'air de dormir dans les ténèbres. Il devait être deux heures. Oreste s'arrêta dans un champ pour déjeuner. Il avait surtout envie de bière et d'être un peu ivre.

Il arriva aux Eclaz vers trois ou quatre heures. Au détour du mur d'enceinte, il tomba sur Mme d'Absonce. Elle parlait avec un paysan de cinquante à soixante ans, qui tenait à la main une casquette fourrée. Oreste eut l'impression qu'on changeait de conversation à son approche. Mme d'Absonce lui présenta l'homme. C'était Lachaux.

Il avait la main large, les doigts totalement gourds, et un sourire très fin dans les yeux.

— Ainsi, dit Mme d'Absonce à Oreste, vous acceptez mon invitation ? Ah, j'ai tellement peur que vous vous enquiquiniez dans ce désert. C'est que je ne tire pas au fleuret, moi !...

— Croyez-vous qu'à mon âge il soit impossible d'aimer les forêts et la solitude ? répondit Oreste.

— Je suis tout à fait prête à croire le contraire. Mais je vous avertis qu'il faudra aussi me faire la conversation...

Oreste fit le galant et débita quelques phrases avec un sourire qui habituellement lui réussissait. Mme d'Absonce avait dans les yeux une lueur très charmante.

— Monsieur Lachaux, vous savez quelle horreur je porte aux potins. Je compte sur vous pour qu'on ne sache rien de l'intrigue hautement platonique que je vais mener ici avec monsieur...

« Elle est vraiment piquée, pensa Oreste, mais elle a de l'allure. »

— Je n'ai guère le temps de bavarder, dit Lachaux. Et, sans vouloir vous offenser, à Artemare on se fiche pas mal de ce qui se passe à Belmont. Je ne vais pas faire le pisse-froid, mais aujourd'hui, même pour les ragots, il n'y a plus personne. Pensez pour le reste ! Regardez ce qui se passe avec la fruitière. Tout le monde s'en fout.

— Qu'est-ce qu'une fruitière ? demanda Oreste.

— Comme il est poli ! dit Mme d'Absonce, il fait mine de s'intéresser au pays...

— C'était une espèce de coopérative pour le fromage. On y portait son lait.

— Et alors ? dit Oreste.

— C'est fini, dit le fermier.

— Allons, monsieur Lachaux, ne vous faites pas plus pessimiste que vous ne l'êtes, dit Mme d'Absonce. Elle n'est pas encore fermée, cette fruitière.

— C'est tout comme, mais vous avez raison, dit Lachaux en souriant. Cela dit, il y a des choses que je n'arrive pas à digérer. Entre autres, six platanes magnifiques qu'on vient d'abattre à C*** simplement pour arranger les affaires du maire. Personne n'a levé le petit doigt. Que voulez-vous ? Je n'ai pas fait beaucoup d'études, c'est le moins qu'on puisse dire. Le certificat, un point c'est tout. Je me fie bêtement à mes yeux, à mon nez, à ma langue. Et tout juste si je jouis encore de mon vin comme autrefois.

— Mais vous êtes un horrible conservateur, monsieur Lachaux !

— Peut-être, mais je ne vois pas pourquoi je devrais être un *gaspilleur*. Allons, j'ai trop parlé, je m'en vais.

— Et moi, je rentre, dit Mme d'Absonce, je commence à avoir froid.

V

Mme d'Absonce avait été mariée vingt-trois ans à un médecin de Chambéry. Cet homme, aimable et circonspect, était d'une fidélité d'horloge. Un beau matin, elle l'avait trouvé mort à côté d'elle, dans le lit conjugal. On ne savait pas très bien si ce deuil avait été pour elle un effondrement ou plutôt une libération. Elle avait soixante-deux ans. Elle était d'une stature moyenne, et qui manquait même de légèreté ; mais elle avait la taille fine, un port de reine, une peau fraîche encore, et des yeux un peu fous qui la rendaient très attachante. Elle n'était pas, on s'en doute, d'une humeur égale ; Oreste en fit l'expérience ; mais, même lorsqu'elle décochait des petits sourires mécaniques, et qu'on la sentait évadée dans quelque autre monde, elle respirait une vivacité surprenante. Certains matins elle semblait accablée, mais c'est alors qu'elle proposait le plus vivement à Oreste une tasse de thé ou une promenade.

Les premiers jours, il erra seul des heures dans les forêts environnantes. Les fayards et les chênes avaient encore leur grand air désastreux, mais les noisetiers bouillonnaient déjà de verdure ; plus haut, les premiers sapins veillaient des clairières spongieuses, semées par endroits de petites étoiles translucides. L'odeur obscure et froide des bois s'entrouvrait sous les brises. Oreste marchait à perdre haleine ; il ne se reconnaissait plus. Le quatrième jour, Gasparinetti téléphona. Il était rentré ; il viendrait le lendemain.

A midi, on entendit couiner le gravier de la cour. L'avocat se gara devant la grange. Il ouvrit le coffre et en sortit deux sabres. « Attrapez ça », dit-il à Oreste en lui lançant les armes. Il prit des masques et des gants.

Ils tirèrent pendant près d'une heure. Oreste aimait les gammes. Il aimait répéter une phrase jusqu'à la priver de toute *pensée* et sentir son poignet bondir comme un animal dans le froissement du silence.

Quand Gasparinetti donna le signal de l'assaut, Oreste était déjà aux anges. Il tomba en garde en soufflant dans son masque.

L'avocat fit un pas en avant et esquissa de sa lame un petit ballet plein d'élégance. Oreste ne bougea pas d'un pouce. Il était si merveilleusement suspendu qu'il avait l'impression d'être à la pointe de son sabre.

Gasparinetti attaqua.

Oreste lui fouetta le ventre avant même d'avoir entendu le fer de l'avocat tomber dans sa parade.

— Savez-vous ce qu'a écrit le Clausewitz chinois ? dit Gasparinetti après l'assaut. *Le bon général a gagné la bataille avant de l'engager. Le mauvais général combat dans l'espoir de vaincre.* Vous étiez vainqueur avant de commencer. Que s'est-il passé ?

— Rien. Je me suis passé de vous, répondit Oreste en souriant. J'ai pris du bonheur à marcher dans les bois. Mais c'est plutôt vous qui devriez me dire ce qui s'est passé. Voilà quatre jours que je suis sur le gril.

— Officiellement (si je puis dire), ils ont perdu votre trace à Turin. Mais ils sont toujours sur le pied de guerre. Le coup de téléphone qu'a reçu Marie n'était peut-être qu'une coïncidence. Il n'empêche : je ne suis pas tout à fait rassuré. Restez ici pour l'instant. Mme d'Absonce vous aime bien. Je viendrai tous les deux jours froisser du fer avec vous. Ne montrez pas trop votre véhicule et vos beaux yeux dans les environs ; ou alors changez régulièrement d'itinéraire ; changez de café, si vous fréquentez les cafés.

Ils rentrèrent. Thérèse annonça presque aussitôt le déjeuner. Mme d'Absonce avait fait venir du Midi cette fille un peu demeurée et corpulente, dont le chignon avait l'air d'une tartelette. C'était la seule présence qu'elle tolérât à demeure, et dans le coin le plus reculé de la maison. Avec sa bêtise et ses petites syllabes chuintantes, Thérèse offrait cent fois par jour des occasions de rire d'elle, mais sa maîtresse se refusait visiblement à en tirer le moindre parti, du moins en public. Le déjeuner fut un moment plein de gaieté.

« Je fonds, se disait Oreste en regardant Mme d'Absonce et Gasparinetti. Ces deux êtres sont délicieux. »

Après le départ de l'avocat, il voulut se rendre utile. Pendant plus d'une heure, à grands coups de tronçonneuse, il scia des bûches. Ensuite il les monta soigneusement en pyramide dans la charbonnière. C'était, derrière la grange, un petit hangar qui jouxtait l'office. Dans une de ses allées et venues entre la pile de bois et la charbonnière, Oreste tourna la tête. A la petite fenêtre, à demi dissimulée par le rideau de vichy, Thérèse le regardait.

— Elle est amoureuse de vous, lui dit Mme d'Absonce. Elle est amoureuse de tous les hommes qui passent. Entre autres de Gasparinetti. Vous, de surcroît, vous êtes jeune. Je n'imagine pas ce qu'être amoureux peut vouloir dire pour elle ; je décris simplement de l'extérieur ce que j'ai observé. Quelle vie peut-elle avoir ? Toutes les trois semaines, elle va passer un week-end dans sa famille, à Vaison-la-Romaine. Elle prétend qu'elle a un fiancé. Je me demande ce qu'elle peut bien fabriquer avec lui...

« Et vous-même, eut envie de dire Oreste, qu'est-ce que vous *fabriquez* ? » Il rougit en imaginant qu'il prononçait cette phrase. Gasparinetti et elle devaient être amants. Ou l'avoir été. Elle était belle encore, elle avait des oreilles petites, des mains gracieuses, à peine tachées par l'âge. Elle avait pris son bras. Oreste sentait son parfum : sous le jasmin, c'était une longue note insolente et mélancolique. Ils allèrent jusqu'au bout de la terrasse. A leurs pieds le jardin clos de pierres semblait abandonné ; on voyait seulement à gauche un petit potager. Au-delà, un long pré qui commençait à peine à verdir déclinait vers une haie de trembles. Au milieu de ce pré, non loin de deux mélèzes assez donquichottesques, cinq ou six moutons avaient l'air stupide des choses immuables.

— Depuis quand connaissez-vous Gasparinetti ? demanda Oreste.

— Depuis dix ou douze ans. Depuis qu'il a quitté Turin pour s'installer ici... Et vous ? dit-elle en éclatant d'un petit rire. Allons, ne me répondez pas, regardez plutôt ce vallon et ces lointains qui sont d'un bleu sublime. On aime sa solitude, mais il faut bien de temps en temps que quelqu'un regarde les mêmes choses que vous. Ça les rend plus précieuses. Et ça console de mourir seul.

On vit sortir précautionneusement d'entre deux pierres un insecte. D'un revers de gant, Mme d'Absonce l'écrasa.

— Ah ! je n'aurais pas dû !... s'exclama-t-elle en regardant Oreste d'un air désolé ; elle semblait presque implorer pitié. Vous savez, reprit-elle, que la parthénogénèse existe chez certains insectes, et très communs ? Les pucerons, les abeilles... Elle eut l'air de rêver. Rassurez-vous, j'aime les hommes. Mais justement. Plût au ciel qu'on puisse mieux s'en passer ! Je ne parle pas du lit, bien sûr... Je vous choque ?

— Pas du tout, dit Oreste, vous m'étonnez.

— Pourquoi ? Vous vous en sortez comment, vous ?

— Je ne suis pas un exemple, dit Oreste.

— Est-ce que vous vous rappelez comment la

terre tremble, et s'ouvre, et respire, quand on est amoureux ?

— Oui. Merci bien.

— Vous ne direz plus ça à mon âge. Parce qu'on finit par l'oublier. D'abord on souffle de ne plus souffrir. Et puis un beau jour on se rend compte qu'on ne souffrira plus de cette joie-là. Ce n'est pas la vieillesse qui est terrible, c'est la prison invisible qui nous y mène.

— Me Gasparinetti m'a sorti l'autre jour quelque chose du même genre, mais en moins joli.

— Cessez de me flatter, jeune homme, ça ne prend plus. Voilà donc toute la gravité que vous accordez à mes propos ? reprit-elle avec un petit air théâtral.

Elle était adorable. Oreste n'y comprenait plus rien. « Qu'est-ce que je peux bien éprouver pour cette femme ? » se demandait-il. Et, parfois, avec une sorte d'anxiété, il essayait d'imaginer son corps.

Il téléphona à Sabine. Elle prit un ton boudeur parce qu'il ne l'avait pas appelée depuis plusieurs jours ; il se fit pardonner. Il s'émerveillait toujours de pouvoir mimer n'importe quel sentiment avec ce genre de filles. En attendant le soir, il passa une après-midi impatiente. Dans la grange, il se fabriqua un mannequin grossier, qui résista tant bien que mal à un quart d'heure de coups de sabre assez vifs. Puis il sortit en claquant la porte et contourna la maison. Au pied de la porte de l'office, dans une cage, un chat de quelques semaines miaulait pitoyablement. Il avait le poil rare, mais l'air très sain. Simplement il miaulait, et, comme il dressait la tête vers la lumière, on aurait dit que ses yeux bleus brillaient de petites larmes. A la question d'Oreste, Thérèse bafouilla une réponse incompréhensible. Il repartit vers les bois. Il marcha peut-être deux heures.

A la nuit tombée, il noua une écharpe autour de son cou, enfila ses gants, son vieux casque — « Soyez prudent », lui dit Mme d'Absonce en le croisant dans le vestibule —, et sauta sur sa Ducati. Il arriva au moment où le café fermait. Le patron était déjà couché. Sabine le fit passer dans une arrière-salle désaffectée. A ce moment, il croisa un type, plutôt manœuvre que paysan, la trentaine énorme et l'œil petit, qui lui souffla son haleine au visage.

— Je le déteste, lui glissa Sabine dans l'oreille en lui ouvrant la porte.

— Pas besoin de me faire un dessin, dit Oreste. Viens donc ici, lui dit-il en lui prenant la taille.

— Il faut que je ferme, attends, j'en ai pour deux minutes. Et elle s'échappa.

Il y avait là des chaises, quelque chose qui ressemblait à un billard, une armoire en formica à laquelle il manquait une porte, et une banquette de velours.

Sabine rentra.

— J'ai fait vite, souffla-t-elle.

Il la prit assez brusquement par le poignet.

— Tu me fais peur, dit-elle.

Il l'attira à lui. Il retroussa sa jupe, la caressa. Sa main jouissait. Il sentait l'odeur de la fille, elle poussait de petits soupirs. Il la prit par derrière, très longtemps. Elle étouffait ses cris dans la banquette. Quand il la retourna et aperçut son visage à la lueur de la rue, qui filtrait à travers les volets, il fut presque effrayé de l'air de bêtise que pouvait donner le plaisir. Du coup, il éprouva le besoin de lui marquer un peu de douceur et il eut quelques gestes tendres, qui le jetèrent lui-même dans la tristesse. Il se rhabilla sans un mot.

— A bientôt, lui dit-il avec un baiser rapide.

Il ferma prudemment la porte.

Il bouclait la jugulaire de son casque quand il vit deux types autour de lui. L'un était l'empesteur qu'il avait croisé dans le café ; l'autre, il ne le connaissait pas : c'était un loubard efflanqué, style second couteau, qui avait une petite boucle d'oreille et des bottes cloutées. Et un très vilain sourire. Oreste n'eut même pas le temps d'enregistrer les deux ou trois insultes qu'ils répétaient à voix basse en lui donnant des bourrades. Une peur très vive le traversa un quart de seconde. Il tenta brutalement de repousser les deux types, et au même moment il reçut un premier coup dans le ventre. Oreste avait serré les abdominaux pour ne pas plier. Il recula le plus qu'il put, s'arc-bouta contre la porte et tenta une garde. Il avait bien l'intention de résister. Il para deux ou trois coups, plaça un gauche inattendu, mais c'était une volée qui lui pleuvait sur la tête et dans les flancs. Il avait l'impression d'entendre ses os craquer ; il avait de petits éclairs de terreur ; il se disait : « Je vais crever. » Quand l'efflanqué, qui était du genre à finir au rasoir, lui balança un coup de botte, il pensa même : « Pourvu qu'ils ne me saignent pas comme un porc ! » Il s'affaissa par terre, roulé en boule. Mais les types en avaient assez. Il reçut un dernier coup de santiag dans les reins, et ce fut le silence. Et la douleur qui tout d'un coup le submergeait. Il vomit. La tête lui tournait. Il perdit conscience.

Quand il rouvrit les yeux, il vit le ciel opaque troué par le halo blanc du lampadaire et, tout près de lui, les yeux de Sabine. Avec une serviette trempée, elle lui avait essuyé la bouche, et elle épongeait un peu de sang qui lui gouttait sur les tempes, mais l'eau se mêlait au sang et tout ce liquide lui coulait dans les oreilles. « Est-ce que j'ai une fracture du crâne ? » se dit-il. Il avait la sensation d'être énorme, paralysé, et transpercé d'aiguilles bourdonnantes. De très loin lui vint une idée qui lui semblait drôle ; il murmura : « Si j'avais eu mon sabre... » et il voulut sourire. Un long hoquet lui remonta dans la gorge et il vomit un filet de bile.

Quand il fut un peu revenu de ce vomissement qui lui avait déchiré les côtes, il dit à Sabine :

— Ça va, ça va. Laisse-moi maintenant et va prévenir Me Gasparinetti. Non, se reprit-il, n'y va pas. Appelle-le de la cabine.

Il se retrouva dans sa chambre, chez Gasparinetti.

— Vous n'avez pas manqué d'à-propos en enfilant votre casque juste avant de vous faire dérouiller ! lui disait l'avocat. Pas de fracture du crâne. Au total, deux côtes cassées, une arcade sourcilière amochée, et quelques gros hématomes. Vous vous en tirez bien.

— Qui étaient-ce ? dit Oreste.

— Nous le saurons plus tard. Mais pas besoin d'être très malin pour l'imaginer.

— Le fiancé de la fille ?

— Evidemment.

— Vous n'excluez pas trop vite les autres ?

— Je crois que ceux-là vous auraient laissé pour mort. Enfin, si c'est la fille, décidément vous n'avez pas de chance avec vos amours.

— Je vais apprendre la boxe, dit Oreste.

— Pour l'instant, vous allez gentiment rester au lit. Pas ici ; aux Eclaz. Evidemment l'escrime vous est interdite, pour trois semaines au moins, sinon un mois. Pour le reste, en deux mots, le médecin qui vous a examiné n'est pas d'ici, et c'est un ami. Quant à la petite Sabine, elle a juré ses grands dieux qu'elle se tairait. Du reste elle a compris que c'était son intérêt ; mais je lui ai promis que vous lui téléphoneriez dans deux ou trois jours. Elle était très inquiète.

— Elle ignorait tout, dit Oreste.

— Je le crois aussi.

La nuit suivante, avec force précautions, on installa Oreste dans la voiture, et Gasparinetti le conduisit jusqu'aux Eclaz. La campagne, bleue et noire, était pleine de silence. Quand ils arrivèrent, les phares allumèrent un instant sur le mur d'enceinte de grands fantômes de buissons. Thérèse avait tenu à veiller pour être là. Ses yeux étaient un peu rouges, elle avait défait son chignon et ses cheveux s'épandaient misérablement sur ses épaules. Mme d'Absonce cambrait les reins comme un général. C'est elle qui eut l'idée de transformer une chaise longue en brancard. Gasparinetti et Thérèse le hissèrent ainsi jusqu'à sa chambre. Il ne souffrait plus, mais il était tout endolori. Parfois il pinçait les lèvres, et Mme d'Absonce le regardait d'un air plein de compassion.

Les premiers jours il garda la chambre et, à son grand dam, il dut faire appel à Thérèse pour lui rouler autour du torse une ceinture élastique Cémen, que le médecin lui avait recommandée. Il détestait d'être diminué, et la fameuse ceinture finissait par lui causer des démangeaisons affreuses dans les poils qu'il avait sur la poitrine. La nuit il dormait peu, il regardait les yeux grands ouverts la lune qui tournait au-dessus du pré ; son ombre verticale faisait comme une immense jupe aux deux mélèzes. Une nuit qu'il avait tiré le fauteuil devant la fenêtre et que tout reposait, il entendit crisser le gravier et aperçut Mme d'Absonce, qui, attentive à ne réveiller personne, un sac-poubelle à la main, se dirigeait vers le mur d'enceinte. Elle revint lentement, elle regardait autour d'elle ; elle éteignit sa lampe de poche et rentra dans la maison. « Ah, se dit-il, même dans les gestes les plus quotidiens, elle a de la noblesse. »

Ils avaient ensemble de grandes conversations. On eût dit qu'être en convalescence sous sa garde lui avait définitivement ouvert le cœur de cette femme inquiète. Ils allaient en promenade. On était en avril. Les oiseaux arrivaient par vagues. Certains avaient de petits aboiements comme des cris ; d'autres enfilaient déjà des fioritures à n'en plus finir ; c'était comme un bruit d'eau. La prairie devant la maison captait le soleil ; elle ondulait un peu, l'herbe étant longue. Les saules se secouaient dans le fossé ; les mélèzes veillaient ; les trembles tremblaient.

Il y eut des orages. Entre les premières averses, le ciel était bleu de plomb, seule une goutte de lumière blessante éclaboussait le sommet des collines. Puis tout se couvrit de noir ; le tonnerre roula. Oreste pensa à la guerre avec délices, comme autrefois, lorsque enfant il attendait de grandes choses de la vie. Avec Mme d'Absonce, il restait de longues heures à la cuisine à boire du thé, tout en mettant la main à la pâte, car Thérèse n'y suffisait pas. Parfois, il se levait, allait à la fenêtre et regardait pisser les gouttières.

— Qu'est-ce que vous fichez ? lui disait Mme d'Absonce.

— Je rêve.

— Et à quoi ? A votre histoire ?

— Oui.

— Laquelle ?

Oreste se retourna. Il avait un petit sourire étonné.

— Non, non, dit Mme d'Absonce, vous n'allez pas me faire croire que vous pensez à la petite soubrette ou à la rossée que vous ont donnée ces voyous.

— Vous savez le reste ?

— A peu près. Croyez-vous qu'une femme de mon âge ait perdu sa curiosité et puisse accueillir chez elle un gamin sans savoir d'où il vient.

— Un gamin..., dit Oreste. Il n'y a guère qu'une génération d'écart entre nous. C'est un lapsus ?

Le ciel était devenu vert et craquait comme une feuille de métal.

— Chère madame..., reprit Oreste.

— Puisque vous voulez absolument me rajeunir, appelez-moi donc Emilie.

— Il me faudra un peu de temps pour m'y faire.

— Ah, les conventions sont solides, et savez-vous pourquoi ? Parce qu'elles poussent dans la réalité. J'ai vingt-cinq ans de plus que vous, et vous aurez beau faire, avec toutes vos protestations galantes, vous n'arriverez pas, comme l'amant de Properce, à me ramener sur la bonne rive.

— Mais il n'y a que deux rives, dit Oreste vivement, nous sommes sur la même.

— Non, dit Mme d'Absonce, il y a la rive de la jeunesse et puis l'autre. Le fleuve vous emporte lentement, c'est tout.

— Taisez-vous, dit Oreste.

— Et pourquoi ? Si je tenais l'inventeur de ces choses-là, je le lui crierais à la figure. Ça manque de grâce, mais les vieux et les morts se moquent de la grâce. Ou plutôt on se moque de celle qu'ils ont eue.

— Que faites-vous alors ?

— Pour l'instant je résiste. A ma manière. Par exemple en vous offrant un refuge. J'en fais même un peu plus, je vous materne...

A force de rouler aux quatre coins du ciel, l'orage s'était lassé. Il avait disparu, laissant derrière lui une lumière blonde, tachée, vers le couchant, de petites plumes rougeâtres qui s'accrochaient au faîte des arbres.

— Le chien s'est détaché, dit Oreste qui avait jeté un œil par la fenêtre, il s'en donne à cœur joie. Mais vous n'avez pas de chat ? L'autre jour, Thérèse en gardait en cage un petit.

— Vraiment ? dit Mme d'Absonce. Voulez-vous me passer ce grand plat bleu ?

VI

Oreste exécuta prudemment quelques fentes. Les deux côtes étaient ressoudées, mais l'épaule et le jarret droits avaient perdu de leur détente ; de petites brûlures très vives lui grimpaient dans la nuque. Au-dessus de la cour, le ciel était agité de nuées. Le gravier crissait comme du verre.

Gasparinetti passa en lançant quelques mots dans le vent.

— Plaît-il ? fit Oreste.

— Rentrons, dit Gasparinetti, j'ai à vous parler.

Il s'installa dans le salon jaune avec une assurance qui agaça Oreste.

— Depuis mon séjour à Turin, lui dit l'avocat, je ne sais plus que penser. Il paraît que l'agression dont vous avez été victime n'était pas commanditée par le fiancé de la soubrette. Entre parenthèses, ce dernier ne sait toujours rien des faiblesses qu'on a pour vous. *Heureux les cœurs purs* ! C'est l'empesteur, comme vous dites, qui aurait eu cette idée. La petite repousse ses avances depuis plusieurs semaines. En vous voyant prendre sans coup férir une place qu'il ambitionne en vain, son sang n'aurait fait qu'un tour. Admettons. Reste le coup de téléphone qu'a reçu Marie. Et la prudence qu'il faut garder dans une affaire comme la vôtre.

— Vous en avez souvent du même genre ?

— Non, mais j'ai connu pire.

— Si vous me racontiez ça un peu plus en détail ?

— Pas aujourd'hui. Et puis c'est vous qui m'intéressez. Alors, voilà ce que je vous propose.

« Je suis président d'un petit club de juristes européens. Nous nous réunissons une fois par an pour nous communiquer nos recherches et nos réflexions sur, disons, l'histoire juridique de l'Europe et l'harmonisation des droits nationaux. En partie pour des raisons historiques évidentes, en partie pour des motifs égoïstes, que vous allez comprendre tout de suite, j'avais proposé qu'on se retrouve cette année à Innsbruck. Je voulais revoir mes Dürer. Vous trouvez que j'exagère ?... Bon, passons. Le colloque commence lundi prochain. J'ai pensé que vous pourriez me remplacer.

— Vous êtes fou ! dit Oreste.

— Pourquoi ? dit Gasparinetti. Vous avez fait du droit...

— Public, seulement.

— Et de toute façon vous vous contenteriez de lire ma communication. En anglais. Ça vous rassure ? L'essentiel pour notre club est de faire réfléchir ses membres sur des sujets de fond. Nous n'avons aucun but immédiat. Cette idée m'est venue non seulement parce qu'il me paraît opportun que vous disparaissiez quelques jours, mais parce que vous rencontrerez sur place un de nos *amis* parisiens. Mon cher, ici vous tournez en rond. Refuge confortable, amours faciles, agression, et on remet ça : refuge, convalescence, etc. Il vous manque un petit voyage. Je vous l'offre.

— Mais le passage des frontières, les contrôles ?...

— Je vous ai dit que vos inquiétudes sur ce point étaient sans fondements. Vos papiers sont parfaits. Une bonne fois pour toutes, mettez-vous dans votre nouvelle peau.

— Et vous ? Et vos Dürer ?

— Moi, pendant ce temps, je vais tenter de retrouver un peu de crédit auprès de Mme d'Absonce...

Oreste ne put s'empêcher de sourire.

— Donc, c'est entendu ? dit Gasparinetti.

— Comment pourrais-je refuser, répondit Oreste.

Au fond de l'esplanade, il prit l'allée qui descendait vers les trembles en contournant la prairie. Il y jouait un petit vent soyeux. Un crépuscule vert montait des forêts.

« Oui, comment pourrais-je refuser ? se disait-il. Mais qu'est-ce que tout ça signifie ? Est-ce que, par hasard, Gasparinetti serait en train de me rouler dans la farine ? »

Il marcha jusqu'à l'heure du dîner.

— Je vous cherchais, lui dit l'avocat, nous aurions pu tenter un ou deux assauts. Maintenant c'est trop tard.

— Désolé, dit Oreste, j'avais besoin de me faire à l'idée de ce voyage.

On passa à table.

— Alors vous nous quittez quelques jours ? dit Mme d'Absonce à Oreste.

— Il paraît...

— Quoi ! lui dit Gasparinetti, l'idée de cette escapade ne vous exalte pas ?

— Si, si, repartit Oreste, d'autant que je n'ai jamais mis le pied en Autriche. Par contre, je m'émerveille qu'on puisse organiser des colloques sur l'harmonisation des droits européens au moment même où l'Europe s'effrite.

— Ce n'est pas nouveau, dit Gasparinetti. La proximité des événements nous aveugle. La vie même nous aveugle. Historiquement, ce n'est pas la première fois que l'Europe s'effrite. Je dirais même qu'elle s'effondre. Mais c'est depuis toujours — depuis sa fondation, comme on disait jadis — que le monde s'effondre. Les choses se sont toujours effondrées...

Mme d'Absonce avait ses beaux yeux clairs, mais ses doigts jouaient sur la nappe une marche très nerveuse.

— ... Trouvez-vous, d'ailleurs, que la glaciation antérieure ait été préférable ? De notre petit point de vue, sans doute. Mais notez que c'est un point de vue très partiel et tout récent. Nos beaux messieurs qui, la mine défaite et le ton tragique (regardez plus souvent la télé), parcourent en jet cet empire effondré en lançant des pochettes-surprises aux survivants, cela faisait quarante ans qu'ils pleurnichaient sur l'horreur totalitaire ! En en tirant, bien sûr, tous les bénéfices. Maintenant que le couvercle a sauté et qu'ils ont les mains pleines de sang, ils ne seraient pas fâchés de pouvoir s'essuyer dans le bon vieux drapeau rouge. Je caricature un peu, c'est entendu. Il n'empêche, je viens d'apprendre que les Services secrets français soutiennent à fond le mouvement conservateur-communiste russe. Passe quelques dictateurs d'Afrique noire, mais faire financer par le contribuable français le retour au stalinisme... Vous avouerez que c'est un peu fort de café.

— Et que faire, selon vous ?

— Je me garderai bien de vous exprimer mes opinions politiques. Qui d'ailleurs ne changeraient rien à rien. J'agis à ma place, dans le petit cercle de mon être, en sachant que tout est inutile.

— J'imaginais que vous n'étiez pas optimiste, mais à ce point..., dit Oreste.

— Optimiste, pessimiste, il faudrait renoncer à ces mots. Ouvrons les yeux, simplement.

— Et que verrons-nous ?

— Deux principes. Opposés et pourtant consubstantiels. C'est le plus terrifiant. Evidemment cette vision est déjà une interprétation. Mais c'est, je crois, la moins infantile que nous puissions donner du monde. Cela dit, prenez cette thèse pour ce qu'elle est : une formulation fugitive. Je ne suis pas philosophe ; je ne pourrai jamais me concevoir, et concevoir ma pensée, que dans le mouvement.

— Vous me rappelez quelque chose, dit Mme d'Absonce. Une vieille juive, qui avait été élevée dans la tradition, m'a dit autrefois : « Je n'ai pas connu de plus grand bonheur que d'entendre quelqu'un me dire un jour que Dieu n'existait pas. C'était ça le Messie. » Je me souviens qu'elle avait les larmes aux yeux.

— Je ne sais pas très bien où vous voulez en venir, Emilie, mais votre histoire me plaît beaucoup. J'imagine que cette dame a été tout d'un coup soulagée d'une prodigieuse contradiction.

— Sans doute.

— Pourtant, dit Oreste, se débarrasser de cette contradiction, n'est-ce pas en accepter une autre...

— Oui. Mais celle-ci est vivante, ouverte, humaine enfin. L'autre est un réconfort d'enfant, qui, consolant de tout, ne guérit de rien.

— Excusez-moi, dit Mme d'Absonce en se levant, je vais préparer le café. Thérèse ne sait servir que de l'eau chaude.

Les deux hommes continuèrent à deviser. Oreste s'avoua que l'avocat était très séduisant.

— Je suis tout à fait capable d'avoir des conversations de salon, mais je déteste ça, lui dit ce dernier. Vous avez vu l'émotion de Mme d'Absonce. Croyez-vous que j'aurais le cœur à jouer avec elle ?

— Qui sait ? dit Oreste.

— Non, non. Je comprends que vous doutiez de tout, et de moi pour commencer, mais tout de même...

— Vous m'avez habitué à plus de conviction.

— Tout le monde a besoin de se reposer, dit en souriant Gasparinetti, même les dieux...

— Vous ne trouvez pas que vous exagérez ? Parlons donc de mon voyage.

— C'est simple. D'ordinaire on rejoint Innsbruck de Paris ou de Zurich. Ce sont des vols quotidiens. Mais il existe, six mois de l'année, sur une petite compagnie autrichienne — les Tyrolean Airways —, un vol hebdomadaire à partir de Turin. En une heure et quart on est rendu. Vous partez dimanche. Vous serez logé à l'hôtel Maria-Theresia, dans les salons duquel se tiendra le colloque. Le lendemain, ouverture des travaux. Par le vice-président, puisque je ne serai pas là. Suivront dans l'ordre alphabétique les communications ; vous prendrez la parole le mardi. Le mercredi, repos. Vous pourriez en profiter pour visiter la Hofkirche en pensant à moi... Après la clôture, il vous restera le samedi pour vous balader avant le vol de retour. A moins que vous ne préfériez passer par Zurich, mais le trajet serait plus long...

— Et le sujet de votre intervention ?

— « Une étape idéaliste entre Justinien et Napoléon : les Lois civiles de Jean Domat. »

— Sujet brûlant...

— Je pensais que vous m'épargneriez ce mot.

— Mais imaginez qu'on me demande quelque précision.

— Impossible. Votre lecture achevée, le vice-président reprendra la parole et la passera à l'orateur suivant. Les discussions se déroulent librement en dehors des séances. Dans votre cas, sachant que vous n'êtes qu'un porte-parole, on ne vous interrogera pas sur votre communication. Vous n'aurez qu'à tenir le rôle d'un petit publiciste, ironique si vous voulez, mais bien élevé.

— C'est en effet une chose à ma portée.

L'avocat le déposa à Culoz. Il était sept heures et demie. La brume du matin s'accrochait encore aux platanes, mais il y avait du bleu dans l'air et une lumière rasait déjà les faisceaux des rails et le pont de fer. Le long de toutes ces lignes qui se perdaient au bout d'une immense courbe, la gare, avec son horloge et ses bancs de bois, était minuscule et reposante. Le sept heures trente-neuf arriva lentement, dans un grincement qui n'en finissait plus. Oreste monta, jeta son sac dans le premier compartiment, s'assit contre la fenêtre. Le train repartit. Il vit grandir l'aurore à travers des vitres encrassées par la poussière et l'haleine des voyageurs ; on y voyait même de grosses traces, comme des crachats. A Chambéry, sur le quai d'en face, l'express de Turin ronflotait déjà ; puis il se tut. Il y eut des cris de cheminots, quelques coups de sifflet, et la locomotive se remit à bruire. Oreste regretta d'être monté si vite, de n'avoir pas pris le temps de boire un café. Quand le train s'ébranla, il ferma les yeux, rêva un moment, et finalement s'endormit. Il était dix heures et demie passées quand il fut réveillé par un contrôle. A 11 h 13, on entrait en gare de Turin.

Depuis quelques instants, il se sentait nerveux. Il avait plus de deux heures et demie à perdre. L'idée d'attendre à l'aéroport le rassurait. Il choisit pourtant d'aller se promener le long du Pô. Il emprunta rapidement le passage souterrain et sortit via Nizza. C'était dimanche, les rues étaient vides. Il traversa l'avenue et s'engagea dans la via Berthollet. Tout au bout, il voyait les arbres nébuleux du Valentino. Dans cette rue, il trouva un café ouvert ; il avala un *espresso* brûlant. Puis il se promena longuement dans le jardin. Il éprouvait de la nostalgie pour son premier séjour. Il regretta le froid, il regretta la poussière délicate sur les façades jaunes et rouges des palais, et de ne pouvoir aller jusqu'à la place Vittorio Veneto, où l'on entend le fleuve pousser de grands soupirs en s'effondrant en aval du pont, sous le regard insensible de la Grande-Mère-de-Dieu qui fixe au-delà de la ville les cimes enneigées des Alpes. L'eau transportait beaucoup de lumière et comme une odeur de large. Plus haut, des enfants criaient sur la pelouse.

Oreste remonta vers le centre et prit le premier car pour l'aéroport. Quand il y arriva, malgré les mornes faubourgs qu'on venait de traverser, il avait retrouvé de la gaieté. Il déchanta un peu en apercevant l'appareil minuscule dans lequel il devait monter.

— Quel est le nom de ce coucou ? demanda-t-il à l'hôtesse, une grande fille châtain, réellement belle.

— Dash 8, monsieur.

Et elle ajouta avec un sourire :

— En général nous arrivons.

Ils arrivèrent en effet, et même après un vol très velouté qui enchanta Oreste. L'hôtel se trouvait dans la Maria-Theresien-Strasse, un peu au-delà de la colonne Sainte-Anne. Sa chambre était assez cosy. Elle donnait sur une cour sans caractère, mais pleine de ciel bleu. Oreste ressortit presque aussitôt. Un sentiment profond et doux l'entourait depuis l'aéroport. Il marchait le nez en l'air, fasciné par la masse de la Nordkette, dont, jusqu'à mi-hauteur, les flancs semblaient emmaillotés dans une résille de neige. Comme des groupes de touristes s'engouffraient dans la rue piétonne au bout de laquelle on voyait briller quelque chose, il obliqua vers l'Inn et suivit le quai jusqu'au Hofgarten. Il s'égara un moment dans les allées, entre les pièces d'eau. Quand il reprit le chemin de son hôtel, le jour déclinait. Vue de face, la colonne Sainte-Anne avait cet air doucereux de l'art religieux tardif. Mais tout là-haut la Vierge naviguait sur sa barque, et, le jour tombant, le croissant et la couronne faisaient comme une double lune insolite, piquée sur l'étoffe encore floue de la nuit.

A sa grande surprise, Oreste trouva de l'intérêt aux premiers travaux du colloque. Il ne put échapper en revanche à quelques mondanités. Le deuxième jour, il lut sa communication avec une certaine aisance, qui lui donna de l'esprit. A peine si, dans ces journées, un ou deux exposés l'ennuyèrent franchement ; alors, l'air absorbé, il rêvassait, regardait à la dérobée les quelques femmes présentes, et pensait parfois que vingt-sept participants c'est bien peu quand on veut passer inaperçu.

Au premier cocktail, le vice-président l'avait présenté à la ronde ; d'autres membres l'abordèrent spontanément. Il crut reconnaître dans un avocat français l'*ami* parisien que lui avait annoncé Gasparinetti. Mais l'autre, un homme de quarante ans à peine, avec une grosse tête d'enfant et des petits gestes précieux, ne laissa rien transparaître. Oreste ne savait que penser. Le deuxième soir, il échappa au dîner officiel et alla déguster seul un *Tafelspitz* dans une cave que lui avait conseillée le concierge de l'hôtel. La patronne se prit d'affection pour ce jeune homme qui écorchait si joliment vingt mots d'allemand. Elle vint deux ou trois fois tournoyer autour de sa table, sermonna un garçon, enfin elle fut aux petits soins avec lui. La bière l'enivra un peu. Il faisait chaud, et il était bon de se sentir à la fois aimé et absolument inconnu. « Demain, se disait-il, j'irai voir la Hofkirche. »

Il devait être onze heures, ce mercredi, lorsqu'il descendit de sa chambre. Il rendit son sourire au concierge. Il sortit en humant l'air, marcha jusqu'au carrefour, et, cette fois-ci, se dirigea résolument vers la Herzog-Friedrich-Strasse. Il s'étonna de toutes ces façades pâtissières (le vert amande surtout commençait à lui soulever le cœur), jeta un œil un peu méprisant sur le Petit Toit d'or, aima les arbres qui paraissent si frêles devant la cathédrale Saint-Jacques. Il contourna le palais, traversa la rue (sans raison — vers les arbres et le soleil, ou pour mieux contempler la façade jaune). En face de lui, au-dessus des toits, il voyait maintenant pointer le bulbe vert et noir de la Hofkirche. En passant devant le théâtre, il perçut une écharpe de sons. C'était un étrange canon à trois voix, une sorte de madrigal funèbre et dissonant, mais très tendre, très implorant. Il ralentit, s'avança entre les deux bâtiments, vers une fenêtre d'où venaient les sons. Il écouta. Les voix mouraient ; se taisaient ; reprenaient. « Ne meurs pas... ne meurs pas... », déchiffrait Oreste, « ne meurs pas... ne meurs pas, Sénèque ! » répétaient les voix — et le reste se perdait dans l'air. Il retourna lentement sur ses pas, il obliqua vers la gauche, « ne meurs pas, ne meurs pas, Sénèque... » entendait-il encore. Il laissa passer deux voitures, traversa la rue, et entra dans l'église.

D'abord il ne vit rien, sinon un long vaisseau vide, avec un plafond de stuc, tout crêpelé de frises, rubans et autres fantaisies mousseuses. Ce plafond voûté, reposant sur deux rangées de colonnes de marbre, faisait comme un dais assez coquet au cénotaphe de l'empereur Maximilien, enfermé dans son grillage de tôle fleurie, qui, malgré sa taille imposante, paraissait bien modeste quand on découvrait la garde monstrueuse que formaient les vingt-quatre géants de bronze plantés entre les colonnes autour du tombeau. Au milieu de toute cette ferraille noire assez naïve, le regard d'Oreste trouva tout de suite les trois chevaliers de Dürer. Gasparinetti avait raison : il fallait être aveugle pour ne pas être saisi par l'élégance un peu folle de ces figures. D'après l'avocat, seule la paternité d'Albrecht IV de Habsbourg, la quatrième figure de la rangée de gauche, était attestée. C'était une sorte de don Quichotte efféminé qui tenait son écu du bout des doigts comme une canne ; son armure lui faisait une espèce de jupette, et de grands revers de dentelle bouillonnaient sur ses mollets. Sur la rangée de droite, s'ils étaient de la même main, Théodoric et le roi Arthur racontaient autre chose : le roi barbare, gracieusement déhanché mais mélancolique, avec de longues moustaches (blondes, à coup sûr) et les yeux perdus dans l'obscurité du casque, semblait incarner le doute, la vieillesse de l'âme. Mais le roi légendaire, le plus réaliste et le plus doux des trois, dont l'armure était rehaussée d'un semis de dragons volants, confondait le regard par sa beauté mystérieuse : c'était une force tendre, d'une plénitude qui semblait présager la mort, un fruit mystique qui se savait éclos sous un ciel où tout doit un jour passer. Voyez ma beauté, semblait-il dire, que le bronze a saisie dans son appréhension. L'heure est rapide, ô hommes ! Moi seul qui ne suis pas, je résiste pour vous montrer la voie fuyante de cette perfection.

Oreste, qui détestait les musées et les airs compassés des amateurs, regardait le roi sans bouger.

— Ce n'est pas un mauvais cicérone que Me Gasparinetti, n'est-ce pas ? dit une voix féminine derrière lui.

VII

Oreste se retourna.

C'était une jeune femme qu'il avait entrevue au colloque. Elle avait quarante ans, quarante-deux peut-être, des cheveux blonds coupés court, une peau fragile, des yeux d'un gris d'agate. La bouche était sensuelle, mais déjà toute froncée de minuscules rides. Son corps, serré dans un tailleur noir, était un joli coup de fouet.

— Retournez-vous, lui dit-elle en souriant, nous sommes censés admirer ces choses-là. Et parlons comme deux amis, ou deux amants, c'est-à-dire par bribes, avec naturel, mais pas trop haut.

« Je suis Odile Dumas, du barreau de Paris. Me Gasparinetti vous a prévenu de ma présence ici. Non, non, ne vous inquiétez pas de ces crétins qui nous entourent, ce sont des Autrichiens, je puis vous affirmer qu'ils ne comprennent pas un traître mot de notre langue. Mais, si vous le préférez, nous pouvons parler anglais, italien, latin, ou encore arabe...

— Est-ce bien nécessaire, dit Oreste, qui s'amusait.

— Non, en effet. Je disais ça pour vous rassurer. Ou vous impressionner, ajouta-t-elle avec un sourire d'enfant.

Oreste aima ce contraste.

— Vous savez comment on appelle ici ces statues ? reprit la jeune femme. « Les bonshommes noirs »... Mais ne perdons pas de temps, dit-elle brusquement. Dans un endroit aussi touristique, d'autres membres du club peuvent débarquer à tout moment.

— En effet, dit Oreste. Quelles sont donc les nouvelles ?

— Voici. Côté officiel, vous pourriez dormir sur vos deux oreilles : votre piste est perdue, et la maréchaussée a d'autres chats à fouetter qu'à poursuivre un fantôme. Ce n'est pas encore une affaire classée, mais ça ne tardera pas à l'être. Reste S., qui peut relancer la machine à tout moment. C'est un type vraiment compliqué. Avec lui, nous jouons serré. Il veut votre peau, mais il sent qu'il est cerné. Et ça l'excite. Au fond, savez-vous pourquoi il est dangereux ? Parce que, malgré sa situation, c'est un politique : ces gens-là peuvent commettre les pires délits, l'opinion n'a aucune mémoire. Vous lisez les journaux ? Eh bien, regardez les « affaires » qui explosent ces jours-ci sous les pas de nos hommes d'Etat. Croyez-vous que leurs ambitions en souffrent ? A Dieu ne plaise !... Et quand ils sont moins puissants, il se trouve toujours un confrère ou un petit copain pour les ramasser. Tout ça pour dire que, s'il tombe, notre homme n'y laissera que quelques plumes.

En attendant, pour revenir à votre affaire, S. n'est pas arrivé jusqu'à Gasparinetti faute d'un chaînon intermédiaire. On vous conseille donc de rester là-bas. D'un simple point de vue mathématique, vous avez toutes les chances de vous en sortir.

— Si vous étiez à ma place, le *point de vue mathématique* vous suffirait-il ?...

Tout ce dialogue s'effectuait par lambeaux, et dans un léger brouhaha. Les touristes changeaient par paquets. Ils avaient, à mi-voix, des cris d'admiration, des rigolades, et presque toutes les femmes s'empressaient de montrer du doigt l'énorme bosse qu'avait à l'entrejambe un de ces guerriers, bosse luisante à force d'avoir été frottée par des générations de visiteuses.

— Je ne sais pas ce que j'éprouverais à votre place, mais je suis sûr que je mettrais toutes les chances de mon côté. C'est tout simplement ce que je vous suggère. Evidemment, vous êtes libre.

Les touristes refluèrent d'un coup, et Oreste se retrouva seul avec la jeune femme. Ils se promenèrent dans une des nefs latérales.

— Quels sont au juste les rapports entre le club et nos *amis*, comme dit Gasparinetti ?

— Il n'y en a pas.

— Mais Gasparinetti ? Mais vous ?

— Nos *amis* sont nos *amis* ; ils sont peu nombreux, mais ils transcendent toute espèce de corps social et même de pensée.

— C'est-à-dire ?

— Rien de plus que ce que je viens de dire.

— Savez-vous quelque chose de mes proches ?

— Rassurez-vous. Gasparinetti m'a chargé de les suivre ; je m'en occupe depuis trois mois : tout va bien.

Il y eut un silence. Ils étaient retournés devant le tombeau. L'église était fraîche, et la lumière des hautes fenêtres déclinait un peu. Un couple de visiteurs entra prudemment.

— Et est-ce que..., murmura Oreste.

— Oui ?...

— Non, rien.

— Vraiment ?

— Vraiment.

— Comme il vous plaira, dit la jeune femme. Mais si jamais vous voulez me reposer un jour la même question, n'hésitez pas. D'ailleurs voici ma carte.

— Merci de tout.

— Je vous en prie... Nous allons nous revoir au colloque dès demain, mais, naturellement, je compte sur vous pour que rien ne transparaisse de nos nouvelles relations. Et, selon moi, on ne dissimule jamais mieux qu'en exposant, ajouta-t-elle avec un sourire légèrement ironique. Maintenant, je vous précède : j'ai un autre rendez-vous à deux pas, et je préfère qu'on ne nous voie pas ensemble. A demain.

— A demain, répondit Oreste.

« Cher ami,

Je sais que vous m'avez avantageusement représenté au colloque et que notre *amie* parisienne vous a encouragé à rester parmi nous. J'imagine le reste. Votre ennui poli aux cocktails et la paix que n'aura pas manqué de vous procurer cette étrange petite ville. Vous me parlerez peut-être un jour de la Hofkirche.

Mme d'Absonce vient de perdre sa mère inopinément, et s'est absentée quelques jours.

Reprenez donc votre chambre chez moi en attendant son retour. Je regrette de n'être pas là pour vous accueillir, mais, dès mercredi, vous pourrez vous réinstaller à Belmont. Mme d'Absonce vous est tout acquise.

D'après ce que me dit Me Dumas (à laquelle, soit dit en passant, vous auriez pu faire la cour ; ça vous aurait changé des soubrettes. — Pourquoi diable croyez-vous que j'ai organisé votre rencontre ?), il semble que vous preniez notre aide comme une générosité impersonnelle ; c'est du moins ce qu'elle a ressenti. Il est vrai que *nous* ne sommes pas exactement les Petites Sœurs des pauvres. Mon opinion à moi est plus nuancée, mais je vois bien ce que Me Dumas veut dire. Croyez-vous donc que je me donnerais tant de mal pour vous si vous n'étiez qu'un petit sabreur poursuivi par des Erinyes de sous-ministère ! J'aurais pu vous sauver tout en me débarrassant de vous.

Beaucoup de choses vous sont cachées. Beaucoup de choses nous sont à tous cachées. Laissez-moi jouer deux minutes au philosophe. La vie, avant même d'être cette apparition lumineuse que l'homme associe naturellement au soleil, la vie est un voile, une ombre, une ténèbre que la nature jette sur les choses à l'instant même où elle les produit au jour. N'allez pas croire que cette ombre dont je parle est le corps, que je vous ressers je ne sais quelle variation sur la pensée néo-platonicienne ou cathare, pour laquelle la lumière de l'âme est emprisonnée dans la boue de la matière. Surtout pas. (Je dirais presque : c'est tout le contraire. Nombreux sont ceux qui, sortis des mains des bons pères ou de leurs affidés, peuvent témoigner que c'est la lumière de leur corps que la prison de l'âme a étouffée.)

La vie même est cette lumière et cette ombre.

Mais l'ombre, ce n'est pas seulement l'obscurité, la limite et le mal. Pas besoin d'être grand clerc pour savoir que la terre mûrit les choses dans la dissimulation et dans la mort ; pensez à la vie végétale, au charbon, aux pierres précieuses, aux métaux. Je ne sais si l'on peut connaître toute la part obscure de la vie ; ce n'est peut-être pas possible, ni souhaitable. L'essentiel est de ne jamais oublier qu'elle est là. Si l'ombre (vous en savez quelque chose) peut tomber tout d'un coup, n'importe où, n'importe quand, entre deux êtres par exemple, ce n'est pas par l'effet d'un destin pervers, imprévisible et tout-puissant ; c'est simplement qu'on a oublié cette part de la vie. On oublie de jouer avec l'ombre, et elle se venge.

Vous me connaissez assez pour savoir que je suis coutumier des digressions. Pardonnez-moi donc celle-là — dont je vous laisse penser, si cela vous amuse, qu'elle illustre le petit dicton *In cauda venenum.* Ce sera un poison bénéfique. L'âge (c'est aussi une forme de l'ombre) m'a enseigné qu'il était fructueux de laisser aller parfois sa pensée comme un cheval fou. Car un cheval n'est jamais fou qu'à nos yeux d'infirmes. Lui sait bien où il galope : dans le sens de l'instinct, de la vie. Que faites-vous d'autre avec votre moto ?

Ce qui me ramène à vous et à votre avenir. Me Dumas vous conseille, comme moi, de rester dans cette région. Soyez discret, certes, mais circulez librement. Vous n'aurez pas de partenaire de sabre durant quelque temps ; on s'en passe. J'entends : on s'en passe même pour progresser. Travaillez vos gammes sur un mannequin, si vous le voulez. Mais travaillez surtout votre pensée. Je vous étonne ? La technique est du côté de la mort, tout le monde sait ça. Elle est indispensable, mais ne croyez pas qu'elle rend libre. La maîtrise procure l'oubli, et l'oubli rend l'instinct.

Quelle est, selon vous, la qualité qui triomphe à coup sûr dans les armes ? La force, l'intelligence, la rapidité, la tactique, l'assurance ?

Pas du tout.

C'est le sentiment du fer.

Et ça, ça ne s'enseigne pas.

Oreste replia pensivement la lettre.

Il se sentait lourd, l'esprit vacant. Le grand salon lui paraissait sombre et même un peu morbide. Il décrocha d'un mur une épée du XVIIIe, à la lame féminine et bleutée, et du bout des doigts il esquissa dans l'air deux ou trois positions. Il la reposa. Il alla marcher dans les rues.

Au-dessus des murs qui ceignaient les jardins, l'air gras de la ville s'allégeait, fleurait le muguet et l'acacia, dont on voyait parfois se balancer dans les cimes les pompons floconneux. D'abord Oreste avait évité le centre et s'était dirigé vers le quartier de la cathédrale, où, dans les buissons, on entendait roucouler des oiseaux. La nuit glissait dans les décors, allumant de petites flammes dans les arbres et des lueurs jaunes à travers les façades. Il s'arrêta sur le pont et s'accouda au garde-fou pour suivre un moment le bruit hypnotique de l'eau. Il regardait mais il ne voyait rien. Des écumes malsaines s'agglutinaient aux branchages des berges, les ondes dévalant doucement dans le noir avec des reflets verts. Il ne voyait rien. Il écoutait. Il s'apaisait. Il remonta vers le café de la République.

— Pourquoi tu m'as laissée si longtemps sans nouvelles ? lui dit Sabine.

— J'étais à l'étranger, je ne pouvais pas t'appeler.

— Bon, dit la fille avec un air un peu triste. Et c'était beau ? Où étais-tu ?

— En Autriche.

— Ah... Et tu ne souffres plus de tes côtes ?

— Non, non, plus du tout. Je puis refaire toutes sortes d'acrobaties... Tu ne voudrais pas en faire quelques-unes ce soir avec moi ?... lui dit-il sur un ton mi-mutin mi-amoureux.

— Non, non, c'est fini. Je ne te vois jamais. Mon fiancé, lui, il m'aime, il veut m'épouser. Et puis deux en même temps, ça ne me plaît pas.

— Oui, mais... ton fiancé, tu ne l'aimes pas, lui glissa-t-il dans l'oreille.

Sabine fila servir deux types déjà passablement noirs qui réclamaient des bocks. Elle hésita une seconde puis rentra dans la cuisine. Elle en sortit aussitôt pour passer derrière le comptoir, où elle se mit à essuyer farouchement des verres. De temps en temps elle levait des yeux un peu furieux sur Oreste, qui la regardait de sa banquette, derrière la cheminée. Quand il l'appela en agitant la main, elle le fit attendre quelques instants, juste pour se venger. Elle avait l'air boudeur.

— Voyons-nous ce soir, lui dit-il avec son beau regard, dis oui, je t'en prie.

— Oui, murmura la fille.

— Viens chez moi dès que tu auras fini. Sonne deux coups. Je t'attendrai en haut de l'escalier. D'accord ?

Il régla sa note et, en se levant, il lui pressa discrètement la main.

Le lendemain, il descendit assez tard et s'installa dans la bibliothèque. Durant la nuit, il avait eu des rêves troublants. Il ne se rappelait rien de précis, sinon un paysage désertique et venté dans lequel le roi Arthur passait lentement en tirant derrière lui son cheval. La bête était caparaçonnée et son pas faisait sur la terre noire un ronflement de grosse cylindrée. Oreste sortit tout ce qu'il trouva sur Dürer, mais aucun de ces auteurs ne s'était intéressé aux chevaliers d'Innsbruck. « J'interrogerai Gasparinetti », se dit-il. Du coup il se demanda quand l'avocat rentrerait. A bien y penser, dans sa lettre, il ne soufflait mot de son retour. Et Marie n'en savait rien. Oreste bâilla.

« Je m'ennuie, se dit-il avec amertume. Je pourrais proposer à Berthier de tirer, mais ce ne sont pas quatre ou cinq assauts qui vont m'occuper. Mme d'Absonce me manque ; mais elle n'est pas là. »

A midi et demi, le même jour, il sortit à pied par la rue de Savoie, un sac jeté sur l'épaule. Les rues s'étaient vidées. Le ciel était de ce blanc laiteux qui laisse présager qu'une lumière formidable dort derrière la brume. Oreste s'engagea dans des ruelles et, contournant la Poste, il rejoignit le Mail bien au-delà de la place. Il se laissa porter dans la descente, sous une belle rangée de platanes qui suivait la route dans sa courbe, puis il prit à gauche un chemin de terre entre des villas. En quelques minutes, il se trouva dans la campagne. Il longea des jardins, des potagers très verts ; il s'étonna de l'odeur vive d'une menthe, qui l'accompagna pendant plusieurs minutes. Une ferme avait été agrandie à la diable, à coup de parpaings et de tôle. Au-delà il n'y avait plus que des champs. La plaine eût été très ordinaire sans les petits tumulus couronnés d'arbres qui lui donnaient un peu d'allure. A pied, pensait Oreste, les choses ont une autre dimension ; les herbes sont hautes, et les lointains beaucoup plus solennels.

On apercevait encore la nationale, et, quand des camions ou des motos passaient, le bruit rebondissait contre une chaîne de collines assez rases, creusées de grandes taches rosâtres ; mais, à main gauche, à quelques centaines de mètres, on voyait des touffes de peupliers et de bouleaux. Oreste continuait à marcher à travers champs. Il franchit un chemin communal et obliqua vers les arbres. L'herbe y était juteuse et écumait de fleurs minuscules. Un peu plus bas, la rivière clapotait sous les branches. Cette atmosphère bucolique l'agaça. Il avait envie de choses moins délicates. Il longea la rivière à la recherche d'un pont et rejoignit ainsi la route d'Andert.

Il la suivit sur trois ou quatre kilomètres. Le paysage avait changé. La terre était soulevée de vagues noires et blondes au sommet desquelles flottaient des bouquets d'arbres, des châteaux.

Des vignobles grands comme des pièces de drap glissaient le long des collines. Dans le ciel, de longues fumerolles blanches se dissipaient dans la lumière. Oreste sentait la marche alourdir son pas. Il passa un village, s'enfonça dans une forêt de chênes, et déboucha une heure plus tard sur une ravine assez raide. Un cours d'eau abondant et paresseux coulait en bas, bordé par de petits vergers bien verts saupoudrés d'une neige rose. Oreste s'arrêta. La pente et la rivière étaient sans beauté, mais la grâce des vergers illuminait le paysage. Il s'assit à l'abri de quelques genévriers et s'assoupit un moment.

Il arriva le soir dans un gros hameau pourvu d'un café. Le patron lui ouvrit sans enthousiasme une chambre en soupente qui sentait l'humidité ; mais les draps étaient à peu près propres et il y faisait chaud. Oreste dîna d'une omelette et d'un morceau de fromage, puis il sortit sur le balcon. Après l'allégresse du départ, la beauté du jour l'avait rendu mélancolique. Des fumées bleues montaient au-dessus des toits de tuiles rafistolés ; dans l'air froid du soir flottait une odeur piquante où se mêlaient le parfum des herbes et la bouse.

Au réveil, Oreste eut un instant d'étonnement en ouvrant les yeux sur la soupente où une grosse araignée moulinait l'air de ses pattes, comme pour fuir le rayon de lumière qui venait de glisser entre les volets. Il but un bol de café, remercia le patron (trop, pensa-t-il sur-le-champ) et s'éclipsa. La route filait assez droit dans une plaine étroite et ondulée, avec des côteaux presque jaunes sous le soleil du matin. Vers quinze heures, après avoir un peu vagabondé dans les hauteurs environnantes, Oreste supputa qu'il n'était plus très loin de chez Lachaux. Il n'obtint pas de réponse d'une femme sans âge, littéralement vêtue de haillons, qui marchait d'un pas mécanique à sa rencontre en poussant trois vaches. Elle passa. Elle marmonnait des mots. Elle devait être folle. Le premier paysan le renseigna.

— Qu'est-ce que vous faites là, monsieur Oreste ? lui dit Lachaux.

Il était en bleu, les bottes dans le fumier, une fourche à la main. La ferme était délabrée, mais belle avec son balcon de bois où s'égouttaient des grappes de géraniums. Au-dessous, dans le noir de l'étable, on voyait remuer lentement de grosses taches claires. Dans la cour, il y avait un tracteur, une remorque, des sacs de grains, des pièces de tôle rouillée jetées dans un buisson. Au fond d'un petit potager fermé par une haie, une vieille étendait du linge.

— Je vais à Belmont. Me Gasparinetti est

absent, et Mme d'Absonce aussi. Enfin, elle a dû rentrer aujourd'hui. Sa mère est décédée.

— Je sais, dit Lachaux. Mais comment êtes-vous arrivé jusqu'ici ? Où est votre bécane ?

— Je suis venu à pied.

— Mazette ! Ce n'est pas un paysan qui se donnerait tant de mal !

— Justement, dit Oreste en souriant.

— La tante ! cria Lachaux, arrête donc un peu et viens boire un verre avec nous ! Elle vient de temps en temps me donner un coup de main, ajouta-t-il à l'adresse d'Oreste.

La vieille grommela quelque chose sans se retourner.

— Elle est têtue, dit Lachaux, rentrons.

Ils entrèrent.

— Alors, c'était beau l'Autriche ? dit le métayer.

— Décidément vous en savez, des choses...

Lachaux tendit un verre à Oreste ; ils trinquèrent.

— Chacun sait ce qu'il sait, dit Lachaux.

— On ne peut pas mieux dire.

Il y eut un petit silence.

— A propos, dit Oreste, vous savez où est passé Me Gasparinetti ?

— Je suppose qu'il est à Turin.

— Oui, dit Oreste, on peut le supposer.

Lachaux était visiblement un brave type, mais malin. Oreste ne savait sur quel pied danser. La vieille entra dans la cuisine.

— C'est le petit-cousin de M. Gasparinetti, lui expliqua Lachaux.

— Ah, fit la tante, il en a de la chance !

— C'est vrai, dit Lachaux.

— C'est vrai, reprit Oreste.

— Tu ne bois pas, la tante ?

— Non, mon garçon, faut que je file, dit la vieille en ramassant du linge dans un sac en plastique.

Ils la regardèrent partir.

— Vous n'arriverez pas ce soir aux Eclaz, dit Lachaux.

— Je sais, je comptais vous demander votre aide.

— Dormez ici, dit l'autre. Ça n'est pas un palace, mais si ça vous va...

— D'accord, dit Oreste, mais je vous invite à dîner à Artemare.

— Non, dit Lachaux, ces restaurants ça coûte les yeux de la tête et c'est pas si fameux. J'ai un boudin magnifique, on va jeter des pommes de terre dans le feu, et puis je vous ferai goûter mon marc.

Pendant que Lachaux finissait sa tâche, Oreste alla fumer une cigarette sur la route. Le jour descendait avec un poudroiement de lumière et une brise qui balayait les champs. La route réverbérait encore la chaleur. Des haies pleines de baies rouges cliquetaient doucement. Dans les feuilles des talus, on entendait parfois des remuements hâtifs. Là-haut, sur les flancs de la montagne, il y avait de grandes forêts immobiles.

VIII

— ... Pour ne rien vous cacher, je n'éprouve aucun chagrin. Qu'est-ce que cela veut dire, selon vous ? Qu'elle était déjà morte pour moi ? Voilà dix ans qu'elle était entrée dans cette maison. C'était une grande dame égarée. Elle marchait avec peine, mais on la retrouvait parfois dans les couloirs ou dans le jardin. Une fois même, dans les toilettes ; on la cherchait depuis une heure. Elle ne savait plus où elle était. Quand j'allais la voir (ces derniers temps, c'était plus fort que moi, je me dérobais), il lui arrivait de me dire : « Voulez-vous me rappeler, madame, dans quelle occasion nous nous sommes rencontrées ? » Vous imaginez l'effet que ça peut faire... Je vais vous choquer (sous vos airs de matamore, vous êtes un sensible), mais je la détestais. Je l'aimais aussi, bien sûr. Elle avait quatre-vingt-cinq ans. Elle était plus grande que moi, des jambes magnifiques, un beau visage encore. Au fond c'était une petite-bourgeoise, mais je suis la seule à le savoir ; on ne pouvait s'empêcher de l'admirer.

« Vous pensez, naturellement, que je suis une fille indigne. Que j'aurais dû l'accueillir ici, veiller sur sa vieillesse... Je ne sais pas si j'en aurais été capable ; de toute façon, elle s'y était refusée Amour-propre. Ou volonté de souffrir, et de me rendre coupable. Vous trouvez que j'exagère ? Eh bien, mon petit, c'est que vous ne savez pas jusqu'où peut aller l'*amour* des mères...

Thérèse entra. Elle était embarrassée.

— Madame...

— Oui.

— Le petit chat...

— Eh bien ?

— Il est mort.

Mme d'Absonce eut l'air désappointée, presque furieuse.

— Comment est-ce arrivé ?

Thérèse balbutiait.

— Je ne sais pas. Je l'ai retrouvé dans sa cage...

— Bon, dit Mme d'Absonce en souriant vers Oreste, nous en trouverons un autre... De toute façon, c'est la vie : on vous fait un cadeau, et toc, on vous l'enlève. Les gamins ont là-dessus un dicton définitif : « Donné, c'est donné ; repris, c'est volé ».

— Si ce n'est, dit Oreste, que rien n'est jamais donné.

— Vous avez raison... Mais, ma parole, vous êtes un vrai Gasparinetti en herbe !

— Certainement pas ! dit Oreste assez brusquement. Je ne suis maître en rien, et je n'ai pas d'*amis.*

— Hé, dit Mme d'Absonce, voilà qui est intéressant.

— Quoi donc ?

— Vous vous êtes emporté.

— Excusez-moi, dit Oreste, ce n'était pas un jugement sur l'homme. Au contraire.

— Vous craignez de m'avoir blessée ?

— Sans doute.

— Rassurez-vous. Et expliquez-moi ce que vous avez voulu dire.

— Admettons que je l'envie secrètement. Pour toutes sortes de raisons. Il n'empêche que je n'ai rien de commun avec lui. J'ai eu naguère, il est vrai, une espèce de pouvoir dans certains domaines. Mais je ne possède plus rien ; je ne sais plus grand-chose. Et, à vrai dire, j'y trouve pas mal de plaisir.

— C'est peut-être ainsi qu'on devient philosophe...

— Que voulez-vous dire ?

— Je ne sais pas, moi. Qu'il faut parfois perdre certaines choses pour les comprendre.

— Je ne sais pas si j'ai compris quoi que ce soit, mais j'ai fait votre connaissance...

— Suffit ! dit Mme d'Absonce. C'est un mot adorable, mais n'ajoutez rien, vous tomberiez dans la galanterie. Aidez-moi plutôt. Le temps est délicieux. Je voudrais sortir la table et les chaises de jardin.

La porte de la grange grinça majestueusement. Il était dix heures. On entendait roucouler des colombes sous les gouttières. Un soleil blanc roulait là-haut dans du coton. Oreste joua les gros bras avec la table et les chaises.

— Il manque quelque chose à cette cour, dit Mme d'Absonce. Il faudrait encadrer la porte avec deux vasques ou, à défaut, avec deux jarres un peu nobles mais bien fleuries. Avant je m'en fichais, je ne détestais pas que ces murs aient l'air un peu rébarbatif. Je dois vieillir.

— Ou le contraire.

— Vous êtes incorrigible.

— Pas plus que vous, me semble-t-il.

— C'est vrai, dit Mme d'Absonce.

— Où est donc passé Me Gasparinetti ? reprit Oreste.

— Mais je n'en sais rien. A Turin, sans doute.

— Ça lui arrive souvent de disparaître comme ça, sans vous prévenir ?

— C'est une enquête ?

— J'avoue que je n'y comprends plus rien.

— Poursuivez donc.

— Eh bien... Eh bien, faites-vous partie des *amis* de Gasparinetti ?

— Non, dit Mme d'Absonce.

— Ah, fit Oreste.

— Notez bien que je pourrais mentir...

— Admettons.

— Quoi ? Que je mente ?

— Non, que vous disiez vrai.

— Merci. Et alors ?

— Impossible que vous ne sachiez rien sur ces gens-là.

— Ces gens-là ? Mais qui ?

— Ah, dit Oreste, vous ne me facilitez pas la tâche ! Hormis Gasparinetti, je n'ai rencontré qu'un membre de cette *amicale*, une certaine Odile Dumas, une avocate parisienne.

— Je ne connais pas ce nom, je suis désolée. Mais que vous a dit cette dame ?

— Elle a reconnu l'existence d'une *association*, active et douée d'une certaine puissance, mais en lui contestant paradoxalement toute forme et même toute pensée précise. Vous avouerez que c'est à n'y rien comprendre.

— J'en conviens, mais avec Gasparinetti tout est possible.

— Il n'a pourtant jamais pris de gants pour me parler de ses *amis*.

— C'est que vous êtes leur obligé, si je ne m'abuse.

— Oui, dit Oreste, on peut même dire que je leur dois la vie, ou peu s'en faut.

— Eh bien, qu'allez-vous chercher plus loin ? Croyez-moi, mon petit, il faut savoir s'incliner devant l'inconnu. La vie n'est pas une énigme, c'est une folie. On l'accepte ou on la refuse. Rien ne sert de chercher à la comprendre... Je dois faire des courses au village. Vous m'accompagnez ?

— On sait que vous êtes chez moi, mais on ne nous a jamais vus ensemble. Ça va jaser, dit Mme d'Absonce.

Elle conduisait avec une parfaite aisance. « Avec elle, tout était possible », se disait Oreste. On se gara le long de l'église. C'était un jour de foire. Belmont est une bourgade de cinq ou six cents habitants. Le moindre déplacement d'air y est enregistré par un certain nombre de paires d'yeux dont la vertu principale n'est pas la vivacité, mais qui n'ont rien de mieux à faire qu'à regarder. Les jours de foire, il y faut un peu plus de malignité, tout se confond dans la foule. Sans rien redouter, ni personne, Mme d'Absonce aimait trop sa liberté pour ne pas fuir toute occasion d'être observée. Dans la cohue, elle fit ses courses tambour battant. Les étalages bouillonnaient de nylon rose et d'imprimés, de volailles fumant dans leur graisse, de pyramides de fromages, mais on en faisait vite le tour. On croisa le maire et deux ou trois personnes avec qui Mme d'Absonce s'en tira par un mot ou un petit salut de la main.

— Zut ! murmura-t-elle soudain, voilà le curé. Il m'a vue.

Elle dut s'arrêter, sourire aux fadaises du prêtre, échanger quelques mots. Elle lui tendit la main comme à un domestique.

— Ces gens sont incroyables, dit-elle à Oreste quand ils en furent débarrassés. Ils s'obstinent à vous parler du *Seigneur* comme s'il s'agissait du pharmacien du coin, sur l'existence duquel, en effet, personne n'a de doute !

« A propos, reprit-elle, je dois justement passer à la pharmacie. Voulez-vous me porter tout ça à la voiture, et que nous nous retrouvions là-bas ?

Oreste lui sourit et fit demi-tour dans la foule. Au moment où il venait de passer la fontaine, son regard se porta sans raison sur l'autre côté de la rue. Au-delà des têtes, à l'aplomb d'un beau toit de tuiles, il crut soudain apercevoir la silhouette de Gasparinetti. Il eut un mouvement, hésita. L'homme avait déjà disparu dans la foule. Il revint pensif vers la voiture.

— Qu'avez-vous ? lui dit Mme d'Absonce qui revenait à son tour.

— Rien, j'ai cru voir Gasparinetti.

— Décidément il vous hante.

Oreste ne répondit pas. Mme d'Absonce avait des mots définitifs. Elle était douée de cette bonhomie tranchante qui se fait adorer ou haïr. Il en sourit. Il pensait, Dieu sait pourquoi, à un cœur, aux battements d'un cœur ; il se disait que, tout englué qu'il était dans cette province, et presque mort à la vie, sa vie battait de nouveau comme un bon organe. Peut-être pouvait-il s'accorder un peu de repos, oublier Gasparinetti, écouter ce battement, s'abandonner à cette dilatation de l'âme que favorisait la présence de Mme d'Absonce.

Il reprit ses promenades dans les bois. Il n'avait jamais regardé la terre, la méprisable terre, et ce qui l'entoure. Il oubliait le ciel, il se demandait si les yeux de l'homme ne sont pas faits plutôt pour observer le sol. Dans la marche, en tout cas, il fallait peu ou prou regarder cette boue odorante et jonchée de toutes sortes d'êtres et de formes matérielles, et, dans l'air jaune, à hauteur d'homme, ce charroi de menus insectes et de palpitations d'ailes. Après, mais par instants seulement, on pouvait jeter brusquement les yeux en l'air et capter un lambeau de ciel bleuâtre à travers les arbres. Ou, sur des coussins de fougères, s'étendre à demi et se laisser toucher, dans les trouées des branches, par ces grands rayons de miel aérien, ces flèches transparentes et muettes, dont on pouvait aussi penser qu'elles étaient comme les colonnes secrètes, le négatif lumineux de la forêt.

Un jour qu'il grimpait dans un sentier ensoleillé, bordé de noisetiers et de petits sapins qui distillaient une odeur enivrante, une vipère lui fila entre les jambes. Il resta le pied en l'air. Ce jour-là, il marcha plus longtemps que de coutume, suivit les sommets qui forment en cet endroit une sorte de cirque. Il s'arrêta sur un escarpement. Il devait être à près de quinze cents mètres d'altitude. La pierre était chaude, et l'air rose, frais comme de l'eau. Tout en bas, comme un fétu déposé par la vague des hêtres et des rouvres, on distinguait une tache claire. C'était Les Eclaz.

Il rentra tard le soir, sous un ciel magnifique, suspendu comme un rideau de théâtre au-dessus de ce monde miniature. De la fenêtre de sa chambre, il vit la voiture des Berthier se garer devant le mur d'enceinte. Comme personne ne semblait les avoir entendus, il descendit les accueillir.

— Mme d'Absonce nous a priés à dîner, expliqua Berthier. Comment allez-vous ?

— Je n'étais pas au courant, dit Oreste en les invitant à s'asseoir. Je suis content de vous voir.

— Et où est Gasparinetti ? reprit Berthier.

Mme d'Absonce apparut à la porte.

— Nous nous passons de lui, dit-elle avec un sourire.

Et en effet elle était éclatante. Le soir gonflait la cour et le jardin de grandes ombres bleues. Mme d'Absonce fit apporter des photophores. Les visages dansèrent comme des esprits au-dessus de la table blanche. Puis, peu à peu, le ciel se mit à s'éclairer d'étoiles, l'humidité se glissa le long des pierres, et l'on décida de rentrer.

Le dîner fut très ennuyeux. Berthier, sous l'apparence placide des costauds (il avait la nuque rasée et se cravatait haut dans des costumes cintrés qui avaient vingt ans d'âge), avait beaucoup de cœur et même un certain feu dans le regard quand il commandait son petit monde, mais Mme d'Absonce, qui justement avait pris son bras pour passer dans la salle à manger, l'impressionnait. Aussi émettait-il des banalités d'un air mécontent. Sa femme, adorante et un peu sotte, le poussa sur les histoires du lycée. Mme d'Absonce suivit imperturbablement. Il semblait seulement à Oreste qu'elle lui lançait parfois des regards amusés ou, peut-être, réconfortants. Quand la conversation se mit à languir, Mme d'Absonce dit un mot sur l'escrime. Berthier se plaignit de n'avoir pas plus le loisir de s'y consacrer.

— D'ailleurs, sans Gasparinetti et vous, dit-il à Oreste, je n'ai plus de partenaires. Et je n'ai pas le temps d'aller à Aix. Pourquoi n'y allez-vous pas, vous-même ?

— A Aix ?

— Oui, dit Berthier, il y a une petite salle tenue par un certain Me Nemoz, un ancien militaire. Ça vous forme le poignet, croyez-moi. Allez le voir de ma part. Allez-y...

Oreste jeta un regard vers Mme d'Absonce comme pour lui demander son approbation. Elle le regardait avec ses yeux clairs. Il fut ébloui.

— Et moi qui avais organisé ce dîner pour vous plaire ! lui dit-elle quand les Berthier furent partis. Je voulais dire : pour vous distraire... Heureusement que Berthier a eu cette idée de vous envoyer tirer à Aix. Vous irez, n'est-ce pas ?

— Oui, dit Oreste qui voyait la déception de Mme d'Absonce, mais vous savez...

— Quoi donc ?

— Je ne me suis pas du tout ennuyé.

Elle comprit très bien ce qu'il voulait dire.

— Marchons un peu, voulez-vous ? lui dit-elle. Et sa main se glissa sous le bras d'Oreste. Il pensa à un oiseau, à quelque chose d'infime et d'inconscient. Il sentit cette petite main vivre entre son bras et ses côtes comme une chose délicieuse, prête à partir, éternelle. Il aurait aimé la retenir à jamais, mais il aurait fallu retenir aussi tous ces instants qui avaient précédé l'instant où cette main s'était blottie, et l'éclat des yeux, la position des corps, et le mouvement des fluides qui maintenaient toutes ces choses dans la giration du monde, et le degré de chaleur de la nuit, et les bruits qu'on entendait là-bas dans la haie de trembles, et leur marche silencieuse dans l'ombre.

— Qu'avez-vous ? dit Oreste au bout de quelques pas.

— Rien, pourquoi ?

— J'ai senti vos doigts se crisper.

— Oh, dit Mme d'Absonce avec un soupir moqueur, vous êtes très fort... Eh bien, oui, je pense à ma mère. Elle me suit comme ça, dans l'ombre, un peu partout...

— C'est charmant pour moi.

— Peut-être plus que vous ne le croyez. Si je m'ennuyais avec vous, vous auriez fait long feu !

— Merci, dit Oreste.

— J'aime assez vos bouffées de jalousie. Si mon mari en avait eu un peu plus, je ne serais peut-être pas en train de me balader à votre bras dans la nuit...

— Il vous négligeait ?

— C'est un peu moins simple. Parce qu'il avait réussi à m'épouser, il se prenait pour une sorte de coffre-fort. Il avait dû me disputer âprement à quelques garçons charmants (c'est-à-dire insignifiants, mais riches ou musclés, et parfois même les deux) ; j'étais la perle rare. C'était très étouffant. Henri n'était pas un personnage sans humour, mais il était coincé. Et trop sûr de me garder. Il s'imaginait m'avoir tout donné en me donnant la sécurité... Je l'ai trompé à tour de bras. Et dire que c'est lui qui m'a lâchée ! En mourant, d'accord — mais tout de même...

— Et votre mère dans tout ça ?

— Avec le portrait que je vous ai fait d'elle l'autre jour, vous avez déjà compris. Mon père est mort jeune (je venais d'avoir quinze ans, je m'en souviens très bien) ; ma mère s'est drapée dans son veuvage comme une momie. En admettant qu'elle ait jamais connu le plaisir avec lui, de ce jour-là il n'en fut plus question. (Je n'oserais pas vous répéter certaines choses que j'ai entendues quand elle commençait à perdre la tête. Et je vous prie de croire que je ne suis pas née de la dernière pluie !) Elle condamnait ma vie, et avec un petit air méprisant qui ne pouvait que me pousser davantage dans la voie où je m'étais engagée...

Soudain le vent sema une petite rafale dans le gris des feuillages, puis il se tut. Oreste pensa que les étoiles grésillaient là-haut comme les grillons dans la prairie. On entendit aussi un coup de langue puis une longue note tubée, comme d'une clarinette un peu rauque errant désespérée dans le haut des bois. Enfin tout s'apaisa.

— Je ne suis pas spécialement somnambule ni intelligente, dit Mme d'Absonce, mais je me sens assez proche de cette chouette qui vient de nous saluer (prenons pour nous ce joli chant, rien ne nous en empêche). Est-ce que je ne vis pas comme ça dans ce vieux château, à l'écart des autres espèces, dévote d'une beauté crépusculaire ? Décidément, j'aime cet animal si décrié et si beau...

— Si beau ? dit Oreste.

— Voyez l'effraie, avec sa tête mystérieuse, ses yeux peints, son plumage doux et raffiné, un mélange de bleu ardoise et de jaune pâle... On aimerait la serrer contre soi ; mais, justement, c'est impossible, car elle est sauvage autant que douce. Elle est aussi carnassière, je vous l'accorde. Mais nous le sommes nous aussi, et beauté n'est pas faiblesse.

— A votre tour de faire la moraliste.

— Je moralise comme je vis, mon ami : au petit bonheur.

— Et, selon vous, c'est de la sagesse ?

— C'est ainsi.

Mme d'Absonce avait retiré sa main du bras d'Oreste, et ils s'étaient assis sur un banc de la terrasse. A leurs pieds, il y avait le jardin creusé sous le mur et, plus loin, la prairie agitée d'insectes. La grâce de la soirée s'était un peu dissipée.

— C'était plus joli tout à l'heure, n'est-ce pas ? dit Mme d'Absonce.

— Oui, dit Oreste. Il suffit de si peu...

— On ne devrait pas parler.

— Qui sait ? les mots sont parfois de petits liens que nous jetons pour tirer vers nous l'autre qui dérive.

Ils chuchotaient dans le noir.

— Oui, mais le silence ne trompe personne, murmura Mme d'Absonce. Dans le silence, chacun sait qu'il est à mille lieues de l'autre, et cependant quelque chose passe, à travers le corps ou dans l'air simplement. Et puis pourquoi tirer l'autre à soi ?

— Qui veut dériver, qu'il dérive, dit Oreste.

— Vous me faites douter.

— J'aurais mauvais gré à me plaindre. Voilà six mois que je suis ici comme un coq en pâte. Mais, au-delà, ou au-dessous, qu'y a-t-il ? Vous trouvez la vie rassurante, vous ?

— Je me suis creusé cet abîme. Si l'on ne m'y arrache pas, pourrais-je tomber plus bas ? Je n'ai plus qu'une chose à affronter : la vieillesse. C'est au fond quelque chose de très commun...

Ils rentrèrent en parlant encore un peu.

Sur le palier, Mme d'Absonce lui tendit la main. Oreste s'inclina, et elle, du bout des doigts, lui caressa la nuque.

IX

Tout le monde savait que la station-service à l'entrée de Béon était tenue par un mécano qui, entre deux pleins d'essence, débridait des *meules* pour les copains. C'était un Arménien de vingt-cinq à vingt-six ans, au visage dévoré par une sorte d'acné purulente et aux yeux fuyants. Son infirmité, le privant depuis des années de tout espoir de séduire, avait assombri son caractère. Avec une dignité désolée, il allait tous les quinze jours à Chambéry voir les putes. Oreste se sentait de l'amitié pour ce garçon malheureux, aux mains miraculeuses.

Deux jours après le fameux dîner avec les Berthier, il s'était arrêté à la station.

— Salut, José, lui dit-il.

— Salut, répondit l'Arménien avec un demi-sourire.

Il méprisait son boulot de pompiste ; son honneur, c'était les motos.

— Si tu m'avais donné ta bécane à réparer, je te l'aurais rendue comme neuve, disait-il à Oreste en caressant la Ducati avec un peu de commisération. Je t'aurais même fait donner un coup de peinture. Gratis. J'ai un copain carrossier.

— On ne se connaissait pas, dit Oreste. Sans ça, tu penses...

José avait plongé la main sous le réservoir et, du bout des doigts, il réglait le ralenti.

— Où tu vas comme ça ? demanda-t-il.

— A Aix, dit Oreste. Il paraît qu'il y a un club d'escrime...

— Ah, dit l'autre, c'est possible... Et c'est bien, l'escrime ? ajouta-t-il en relevant un peu la tête.

— Aussi bien que les bécanes, dit Oreste en riant.

— Tiens, dit José, essaye donc de savoir s'il y a des filles à Aix. Je n'y avais pas pensé. S'il y en avait, ça m'arrangerait. C'est déjà plus près que Chambéry...

— En cette saison, dit Oreste, il y a peut-être des provisoires, mais il faut encore les trouver. Et puis si elles travaillent avec les vieux curistes, tu imagines les prix...

— Ça ne fait rien, dit José. Renseigne-toi quand même.

— O.K., j'essaierai. Allez, salut.

— Salut, dit José.

Oreste traversa Culoz, passa le Rhône, longea le lac illuminé de brume. Il aperçut des cygnes qui barbotaient dans les ajoncs, des nageurs, des voiles. Un train passa en hurlant ; puis tout doucement le silence retomba comme le coton de la lumière.

Il trouva sans peine la rue de Genève, et un peu plus haut, du côté des Thermes, la salle d'armes. La porte cochère et la petite plaque de cuivre pouvaient faire illusion, mais l'escalier par lequel on parvenait au sous-sol était bien sombre et, sur les murs, la peinture s'écaillait par plaques. En bas, on passait un couloir étroit, et on se retrouvait dans le vestiaire. Avec ses murs jaunes et ses vieux rateliers, ses néons, ses soupiraux qui s'ouvraient sur une cour très sombre, la salle amusa Oreste. Au moment où il entra, deux épéistes s'accrochaient en poussant de grands « han ». Les coquilles tintaient comme des cloches. Il se dit que c'était à cause de ce bruit ridicule qu'il n'avait jamais tenté l'épée. Sur la gauche, un maître donnait une leçon de fleuret. Il avait l'air assez raide, mais il faisait répéter patiemment de longues phrases à un type roux avec de grands bras, qui soufflait et suait. La leçon s'acheva.

— Vous tirez au sabre ? lui dit le maître d'armes en déposant son masque. C'est une bénédiction !

Il avait la cinquantaine, des cheveux gris plaqués en arrière, de belles dents, et une fine moustache qui avait dû lui valoir pas mal de succès. Oreste nota l'état un peu pitoyable de son plastron.

— J'ai reconstitué une équipe de fleurettistes grâce aux gamins de l'école. (Il était temps, j'allais fermer boutique !) Mais le sabre, rien à faire. Ces petits crétins ne rêvent que compétition. Nous sommes trois, moi compris. Avec vous, ça fera quatre. Ah, si Berthier se donnait la peine de venir...

Oreste lui expliqua sa situation : qu'il était là pour quelques mois, et (il eut du mal à finir sa phrase) plutôt fauché.

— Trop heureux de recruter un sabreur, dit Me Nemoz. De toute façon, c'est la fin de l'année. Je vous prendrai une demi-inscription. Venez quand vous voulez. Nous ne fermons qu'en août. La salle est ouverte tous les après-midi, sauf le mercredi, jour des enfants. Pour les assauts, vous aurez davantage de partenaires à partir de 18 heures, mais pour travailler, venez plus tôt.

— Et si nous commencions tout de suite ? dit Oreste.

— J'allais vous le proposer, répondit l'autre.

Berthier avait raison. Me Nemoz travaillait à l'ancienne. Il fit exécuter à Oreste, un peu surpris, des moulinets d'assouplissement, des séries de contres, des parades de sixte et même de septime, des figures un peu archéologiques mais spectaculaires. Il le testait. Au bout de dix minutes de ce train-là, le maître déclara qu'on allait passer aux choses sérieuses.

— Ne croyez pas pour autant que ces fantaisies sont inutiles. Et, ce disant, il prit une garde à bras presque allongé qui décontenança Oreste.

« C'est l'ancienne garde de Saumur, reprit le maître d'armes. Disqualifiée depuis belle lurette par les Hongrois, évidemment. Elle est très vulnérable au fer. Mais elle peut encore servir : voyez votre surprise. Dans un assaut, la première touche était pour moi.

Oreste sortit une heure et demie plus tard, soûlé, heureux. Il se dirigea d'un pas extraordinairement léger vers sa bécane, l'enfourcha et se laissa glisser vers la gare. Il cherchait le petit port. Il passa près des joueurs de pétanque et s'assit un peu plus loin sur un banc. Sur le parking, le moteur d'une voiture cessa de tourner. On entendit des voix. Dans une barque qu'on avait tirée sur le quai, une nuée d'oiseaux faisaient un bruit de friture. Puis, d'un coup, dans le ciel, comme une voile noire se dissolvant à peine hissée, ils s'égayèrent. Oreste ne sentait plus rien que son corps. Il regardait stupidement l'eau, la lumière qui s'accrochait aux feuillages, les risées qui par instants secouaient comme un drap la surface du lac. Et il coula dans une longue rêverie. Plus tard il n'aurait su dire comment cela s'était passé. Les choses naissaient et s'enfuyaient. Il avait des souvenirs bien verrouillés qui s'ouvraient d'un coup comme des tiroirs. Ça ne faisait presque plus mal. Il se sentait vieux comme un dieu et léger comme un enfant. Il pensa aussi à S. Il eut envie de se battre. Dans son rêve il le tua peut-être. Il l'oublia. Il pensa à sa propre vie. Se souvint de Turin, de la neige, de son arrivée chez l'avocat.

Il saisit un journal qui traînait sur le banc voisin et, dans la marge, il fit ses comptes. La petite pension qu'il versait à Mme d'Absonce, l'essence, les cigarettes, la cotisation du club. A ce train-là, il tiendrait plusieurs mois. En attendant, il pouvait s'offrir un jean et une paire de mocassins. Il ne se demanda pas à qui il voulait plaire. Il releva la tête, rêva un peu. Le journal s'ouvrit sous un coup de vent tiède ; c'était une feuille locale, un de ces journaux gratuits qu'on distribue chez les commerçants. En parcourant des yeux les annonces, Oreste tomba sur des propositions fort explicites. Il se rappela la requête de José. Il roula le journal dans sa poche et partit en sifflotant.

Il avait oublié Gasparinetti. Il n'allait plus en ville que pour retrouver la petite serveuse, laquelle ne comprenait rien à ce regain de passion. Mais un jour, en remontant la Grand-Rue, il aperçut Marie qui faisait ses courses. Il hésita, puis se dirigea vers elle.

— Ah, Monsieur ! s'exclama-t-elle.

— Comment allez-vous, Marie ?

— Bien, bien, Monsieur, merci.

— Et Me Gasparinetti..., dit Oreste, à la fois embarrassé et curieux.

— Il est revenu, et il est reparti aussitôt. Vous le connaissez, lui dit-elle en souriant.

Elle avait un air campagnard qu'Oreste ne lui avait jamais remarqué. Avec ça, des joues roses et les yeux toujours doux.

— Quand vous lui parlerez, faites-lui mes amitiés, s'il vous plaît.

— Ce sera fait.

— Au revoir, Marie.

— Au revoir, Monsieur. Et Dieu vous garde.

Oreste la quitta déçu ; il aurait voulu en savoir davantage sur Gasparinetti. Puis il n'y pensa plus. Il avait rendez-vous avec Sabine.

Faire l'amour ne suffisait plus à la petite. Il devait payer ses nuits avec elle en simulant un peu d'intérêt pour sa vie. Il n'avait pu échapper à une soirée en discothèque et à quelques promenades d'après déjeuner.

L'été brillait comme une faux dans le ciel et les champs. Malgré les moucherons et l'ennui de traîner après soi une fille qu'on n'avait plus à conquérir, il était assez doux de s'enfoncer dans de petits sentiers bordés de haies vives. L'ombre y creusait des rigoles d'air subtil. Et, au détour de champs encore en fleur, gardés par des arbres dont les hautes feuilles claquaient mollement comme des fanions, on pouvait trouver de petits prés où s'endormir un moment. C'est Sabine qui eut l'idée, ce jour-là, de se baigner à Châtillon. Il y revint les jours suivants, mais seul. Il louait une barque ou un pédalo, contournait le port, puis la pointe, et s'ancrait sous la falaise du château. Il plongeait dans l'eau noire, profondément, là où la lumière ne parvenait plus qu'à peine à la surface de ce grand corps enveloppant et fluide dont là-haut les arbres, les montagnes et les nuages étaient comme les extensions toujours plus célestes, jusqu'à la confusion des éléments dans la blancheur qui reflue du centre des airs pour séparer, aux yeux ruisselants du nageur qui émerge, le ciel et l'eau. Sur les flots, agitée comme un gros bouchon, la barque faisait elle aussi comme une frontière entre l'ombre et la lumière. Du côté de la rive, sous les branches, l'eau était comme une huile verte qui glissait sur les écailles des rochers. On voyait au loin une foulque noire plonger vivement la tête entre deux vagues. Une ombre tombant des arbres courait à la surface jusqu'à se confondre avec l'ombre de la barque, qui résonnait sous le ressac. D'une brasse régulière, Oreste s'éloignait vers le large aveuglant, puis, quand la barque n'était plus qu'une coque oscillant au loin, il revenait se réchauffer dans les courants de la côte. Il s'accrochait un instant à la chaîne ou reprenait haleine en faisant la planche, les yeux fermés dans le soleil, et repartait pour une nouvelle course.

Depuis qu'il s'était installé aux Eclaz, il avait retrouvé une vie régulière, presque une discipline. Il se levait tôt et bricolait tout le matin dans le jardin ou la maison. Il aimait ces petites tâches manuelles, dont, à tout prendre, il se tirait fort bien. Mais il s'était aussi remis à lire. L'après-midi, il allait tirer ou nager. Il se surprenait à *penser*. Depuis son retour, il s'était contenté d'écrire trois lignes à Gasparinetti et il se le reprochait un peu. Mais, de son côté, celui-ci n'avait plus donné le moindre signe de vie, et Oreste commençait à se dire que sa générosité était celle d'un fou. « La sienne et celle de ses *amis* », pensait-il.

D'ailleurs, l'avocat n'avait pas besoin de lui. Tandis que Mme d'Absonce... On ne pouvait pas dire que c'était un être fragile, ou faible, ou enfantin ; elle était lucide, solitaire, elle avait trop d'aplomb. Mais, dans l'intimité qu'elle avait laissé naître entre eux, la sorte de franchise provocante avec laquelle elle avouait sa peur de vieillir bouleversait Oreste. Elle ne reniait nullement son passé, elle le revendiquait même avec une fermeté troublante. C'est de cette sagesse, pensait-il, qu'il avait peut-être tiré lui-même un peu de sagesse pour ordonner cette nouvelle vie.

— Avec l'été, adieu la paix ! lui dit-elle un jour. Ma cousine Hélène s'annonce. C'est un personnage un peu baroque, mais c'est justement pour ça que je la vois encore. Je l'ai invitée à dîner. Cela dit, mon petit, si ça vous ennuie...

— Je vous en prie, dit Oreste.

— Pardon. Mais je voulais précisément dire que vous me rendez les choses plus faciles. Voyez ce couple d'idiots qui a débarqué l'autre jour sans crier gare : avec vous, je me suis presque amusée.

La cousine Hélène arriva. C'était une femme à peine plus âgée que Mme d'Absonce, avec des yeux bienveillants, une ombre de moustache et une poitrine très opulente qui ondulait sous une robe imprimée. Elle portait une sorte de turban vert dans les cheveux, et de gros bracelets torsadés qui glissaient sur la peau brune et flétrie de ses poignets. Mariée jeune à un sous-préfet, elle avait vécu quelques années en Algérie. Elle y avait pris des manières un peu libres, et même vulgaires, qu'elle s'était bien gardée de corriger. Du reste, elle avait quelque chose de viril. Par contraste, Mme d'Absonce semblait toute féminité.

Le dîner fut gai. La cousine Hélène parlait haut pour raconter de petites anecdotes cocasses. C'était un personnage à la fois rassurant et imprévu. Elle était wagnérienne, paraît-il, et, à un moment donné, elle invita fort incongrûment Oreste à l'accompagner à Bayreuth. Mme d'Absonce eut un sourire. La nuit tournait divinement, et quelque chose de mystérieux, quelque chose de charnel et d'impalpable à la fois les enveloppait. On aurait pu penser que c'était un pouvoir qu'émanait inconsciemment la cousine Hélène. Face à elle, Oreste se sentait avec Mme d'Absonce comme un petit couple dont on bénit les amours. Il essaya d'abord de se rebeller contre cette influence, cette ivresse (mêlée peut-être à une ivresse réelle) qui l'effrayait à proportion même de la douceur qu'elle insinuait en lui. « Nom d'un chien, se disait-il crûment, n'oublions pas qu'elle a soixante berges ! » Et il regardait les rides émouvantes et les petites mains de Mme d'Absonce.

La table de jardin n'était guère plus large qu'un guéridon. Soudain, sans le vouloir, Oreste se rendit compte que son genou effleurait la jambe de Mme d'Absonce. Un frisson lui courut dans l'échine, il se sentit tétanisé.

— Et comment va Petit-Gaspard ? demanda drôlement la cousine Hélène.

Oreste eut l'impression que Mme d'Absonce rougissait furtivement.

— Mais fort bien. Du moins à ce que je sais, ajouta-t-elle très vite, car voilà des semaines, presque des mois, que *nous* ne l'avons pas vu.

— Hum, fit ironiquement la cousine, toujours aussi peu sage, le Gaspard...

— Ne dis pas de sottises ! s'exclama Mme d'Absonce. Gasparinetti est, hélas, l'homme le plus sage de la terre.

— Sans doute, sans doute. Mais c'est aussi un imbécile. A moins que ce ne soit Dieu le Père...

— On peut se le demander…, dit Mme d'Absonce en étouffant un petit rire.

— N'êtes-vous pas de cet avis, cher monsieur ? demanda la cousine Hélène à Oreste.

— Je dois beaucoup à Me Gasparinetti, répondit-il, vous m'excuserez de ne pas faire chorus.

— Taratata…

— Pardon ?

— J'ai dit « taratata ». La politesse l'emporte trop chez vous sur les précieuses vertus de la simplicité. Si vous aimiez vraiment Gasparinetti, vous n'auriez pas mis en avant votre reconnaissance. Et vous ne vous seriez pas contenté de vous abstenir de commentaires. Vous auriez protesté des qualités innombrables du maître… En somme, vous devez le détester.

— Mais, dit Oreste, hormis l'exagération de votre dernière phrase, je ne nie rien de tout ça. Et mes propos signifiaient aussi que Gasparinetti est pour moi une énigme.

— Est-ce que par hasard vous n'auriez pas tendance à voir partout des énigmes ?

Oreste sourit.

— Peut-être…

— Pour être franche, reprit la cousine Hélène, vous m'avez tout l'air d'être de ces gens qui se compliquent la vie à plaisir.

— Je suis tout à fait prêt à l'admettre, répondit Oreste, curieusement conciliant.

Il se sentait subjugué, non par cette femme pittoresque, mais par cette force qui maintenant lui semblait rayonner du ciel. A moins que ce ne fût la chaleur de la nuit mêlée au vin qui amollissait ses facultés.

— Ne tourmente donc pas notre ami, Hélène, dit doucement Mme d'Absonce.

Pour Oreste, ce mot décida de tout. Il renonça d'un coup à sa résistance. Il ne savait plus ce qu'il éprouvait, il ne voulait plus le savoir. La nuit était merveilleusement tiède, et, en face d'eux, comme nimbée par la lumière de la lune qui se levait au milieu des arbres et noyait peu à peu ses traits dans l'obscurité, la cousine Hélène souriait avec un air de satisfaction. Sa grosse poitrine s'épanouissait au-dessus de la table, et l'on entendait doucement cliqueter ses bracelets.

— Il va falloir que je vous quitte, mes enfants, dit-elle. Sinon je vais rater mon train.

— Reste donc, lui dit Mme d'Absonce. Tu sais bien que c'est une proposition que je ne fais guère...

— Merci, ma chérie, mais c'est impossible. Mes copines m'attendent demain matin à Lyon. Nous avons une poule de bridge. Tu sais bien que je me damnerais pour taper le carton.

— Je ne comprends pas comment tu fais pour supporter les bécasses qui hantent ce genre de manifestations.

— Bah, dit Hélène, nous sommes toutes un peu bécasses. Y compris toi, ma jolie...

Oreste fut sidéré de la réaction de Mme d'Absonce, qui éclata d'un rire un peu nerveux.

Il raccompagna la matrone jusqu'à Culoz. Il se sentait comme un gamin amoureux : il aurait voulu parler de sa belle. Mais, soit perfidie, soit insouciance, la cousine Hélène ne lui en donna pas une seule fois l'occasion.

Quand il rentra, il était à peine onze heures et demie, la maison était silencieuse. Mme d'Absonce avait déjà regagné ses appartements ; elle ne dormait pas encore : une lumière filtrait à travers ses fenêtres. Il pensa un instant frapper à sa porte, mais il recula, par timidité peut-être, et monta directement dans sa propre chambre. Il était las, il s'endormit d'un coup.

Il devait être deux ou trois heures quand la lumière de la lune le réveilla. Elle était haute, énorme, ronde comme un jeton d'ivoire. Oreste referma les yeux, tenta de replonger dans les eaux du sommeil, mais en vain. Il s'accouda alors sur son oreiller et contempla les arbres noirs et ce ciel de velours sur lequel le sein de la lune se gonflait doucement. Pour finir, l'idée lui vint d'aller marcher dans le jardin. Il passa un jean, descendit avec force précautions et sortit. Il sentait le gravier lui picoter délicieusement la plante des pieds.

C'est en passant devant l'office qu'il aperçut un ruban jaune sous l'entrée de la cave. La porte était ouverte, il n'eut qu'à la pousser. Les escaliers étaient restés éclairés. Tout était silencieux. « Un oubli », se dit-il. Mais une inquiétude l'avait saisi. Par acquit de conscience, il descendit. Sans y réfléchir il étouffa le bruit de ses pas ; il se sentait oppressé.

Il crut percevoir bientôt une odeur un peu enivrante, une odeur d'éther. En bas, la porte de droite bâillait. Bien qu'il fût prêt à tout, quelque chose le retint de l'ouvrir d'un coup sec. Très lentement, il s'inclina et appliqua son œil à l'interstice. Stupéfait, il découvrit Mme d'Absonce assise ou plutôt affalée dans un vieux fauteuil, les cheveux défaits, l'air hagard, les yeux rouges, respirant à peine. On aurait dit qu'une douleur sans nom, ou une mort voluptueuse, l'avait pétrifiée.

Oreste se sentit bouleversé. Il allait se précipiter pour la prendre dans ses bras, la secourir, la consoler, lorsque ses yeux cherchèrent ce qu'elle regardait.

En face d'elle, à deux mètres peut-être, sur une planche appuyée verticalement contre le mur, un petit corps d'animal était cloué, les membres écartelés, la tête ballante, une aiguille plantée dans le pelage clair du thorax, qu'une tache brune avait souillé.

X

Dans la cour, la lune n'avait pas bougé. L'ombre tombait des toits comme en plein jour.

Oreste rassembla en un tour de main ses affaires. En jetant les yeux autour de lui, il vit la couverture de son lit. Il l'attrapa, la roula sur son sac.

Dehors, tout était aussi calme : les mélèzes, deux ou trois grillons qui stridulaient dans le pré, la lumière jaune de la cave. Il referma soigneusement la porte derrière lui, débéquilla en douceur la Ducati et la poussa lentement hors du mur d'enceinte. Le silence était si grand qu'il entendait grincer légèrement la chaîne. Il pensa qu'il faudrait la graisser.

Dès qu'il fut dans l'allée, la moto glissa plus aisément. Il la poussa très loin, jusque sur la route. Il commençait à avoir les bras lourds. Une ou deux fois le cale-pied lui rentra dans le mollet. Quand il se jugea assez loin, il s'arrêta sous une voûte d'arbres, et il monta en selle. Il avait l'impression d'accomplir un geste définitif, comme de sauter d'une maison incendiée.

Il démarra.

C'est au bout de plusieurs kilomètres qu'il sentit ses joues irritées ; l'air lui brouillait la vue.

Il s'arrêta dans un petit chemin de terre, sans savoir comment il y était parvenu. Il était dans une colline pleine de grottes de feuillages et de rochers luisants. La lune glissait dans le vallon en inondant les reliefs d'une multitude de petits reflets fluides.

A deux pas de lui, un oiseau s'envola lourdement dans un bruit de papier froissé. La branche bougea longtemps, comme un ressort.

Il enchaîna la moto à un arbre et s'enfonça dans la colline. Il erra un peu, trouva un taillis qui pouvait servir de gîte, battit le sol avec une branche morte, et se laissa choir.

Au fond de la vallée, très loin, on voyait trembloter des lumières.

Il était abasourdi, courbatu. La nuit fraîchissait. Il s'enroula dans la couverture, ferma les yeux, les rouvrit, les ferma encore, écouta stupidement le bruit des feuillages, les rumeurs, et peu à peu il s'endormit.

Il eut tout de suite des rêves lancinants : il vit des combats d'insectes, des ombres qui roulaient des toits comme des avalanches d'ardoises. Il se réveilla d'un coup sous l'éclat du soleil avec le cœur au bord des lèvres. Il se leva, se secoua, pissa longuement, descendit vers sa moto.

A l'entrée du premier hameau, il s'arrêta à l'abreuvoir et s'aspergea d'eau glacée. En relevant la tête, il aima passionnément ce soleil frais, cette odeur de bêtes et d'été. Il en aurait gémi.

— Tu fais une de ces têtes ! lui dit José. Qu'est-ce qui t'arrive ?...

— Rien, rien...

Il tournait dans la station les yeux fixés au sol. Il respirait l'odeur d'essence. Il ne savait même pas ce qu'il était venu chercher.

José, embarrassé, n'osait pas le relancer.

— J'ai des problèmes, finit par dire Oreste. Je vais me tirer...

— Tu quittes Belmont ?

— Oui...

— T'as pas fait de conneries, au moins ?

— Non, non, dit Oreste en secouant la tête. Et il esquissa même un sourire.

José le quitta pour aller servir un client.

Oreste faisait les cent pas.

Le bruit des voitures empêchait qu'on entende le vent qui agitait comme des guirlandes les feuilles des peupliers plantés de l'autre côté de la route. L'atelier était ouvert, mais la lumière était si crue dehors qu'on ne distinguait rien de cet antre. Devant la porte, il y avait un trail boueux, qui devait faire de l'huile. Une petite flaque noire brillait par terre.

— Ecoute, dit Oreste à José, tu ne pourrais pas me loger un jour ou deux ?

— Mais bien sûr, mon gars ! Attends, je vais te donner les clefs. Tiens. Tu sais où c'est ?

— A la sortie de la ville, c'est ça ? dit Oreste.

— Oui. 21, avenue Falconnier. Au rez-de-chaussée. C'est une petite maison avec trois marches. Tu verras, en face il y a un parking. Vas-y, tu t'installes tranquille. J'ai un canapé-lit.

— Merci, dit Oreste. J'y vais, je t'appelle de là-bas.

Il remarqua à peine l'odeur écœurante de renfermé, l'odeur de maison sans femme, qui régnait dans le trois-pièces de José. Il vit deux ou trois posters de filles nues et, près du canapé, une pile de *Penthouse*. Il s'assit, fuma coup sur coup deux cigarettes, et s'assoupit.

Le soir, José le trouva dans la même position. Il n'avait pas bougé. Le lendemain, ce fut pire encore. Pour le tirer de là, José se démenait comme un beau diable.

— Essaye ma bécane..., lui disait-il.

C'était une japonaise de 1100 cc.

— Tu es fou, lui disait Oreste, dans l'état où je suis, je la planterais, et moi avec.

— Allons au restau...

— Je n'ai pas faim.

— Ecoute, dit soudain José d'un ton sérieux en s'asseyant près de lui, grâce au canard que tu m'as rapporté l'autre jour, j'ai trouvé à Aix une fille super..., et il lui donna quelques détails assez crus. Si tu veux, je l'appelle, je lui dis de trouver une copine et on y va ce soir ou demain, O.K. ?... Tu prendras celle que tu préfères. Moi j'aime bien la nouveauté, mais si tu veux la copine, pas de problème, samedi j'ai vraiment pris mon pied...

Oreste le regarda.

— Et combien tu as craqué pour ça ?

— Huit cents balles. Mais, tu sais, ça se négocie. Et puis tiens, je te l'offre !

— Pas question ! dit Oreste, mais je t'accompagne, et si la copine me plaît...

— Parfait, parfait, répétait José en se frottant les mains.

Oreste choisit la copine. Malgré son affection pour José et les précautions que celui-ci prenait sagement avec les dames, il était un peu terrifié à l'idée d'attraper le staphylocoque doré qui défigurait son copain. L'amour vénal n'était pas dans ses habitudes ; il se demanda pourquoi il avait accepté cette proposition. La copine était belle, très experte, et il ne se posa pas longtemps la question.

Le lendemain, il repiqua dans la déprime. Le ciel bleu lui donnait la nausée. Il traînait dans les rues lugubres de Culoz. Au beau milieu de pensées insignifiantes, à la terrasse d'un café ou en marchant dans le parc, il se sentait soudain une boule dans la gorge, et il fallait qu'il respire très vite un grand coup. Il traînait ses jolis mocassins jusqu'à la gare, en pensant qu'il ne pourrait pas rester longtemps chez José. D'ailleurs, maintenant qu'il reprenait un peu ses esprits, il avait de la peine à supporter l'intérieur du mécano. En passant sur la place de la gare, il remarqua l'hôtel Imperator — cinq fenêtres de façade au-dessus d'une porte vitrée. Il pensa qu'il pourrait trouver une petite pension quelque part, mais l'idée de chercher le découragea. Il eut aussi l'envie de rentrer à Paris. Il essaya sans succès de joindre Odile Dumas ; il laissa tomber. C'est en sortant de la Poste qu'il rencontra Lachaux.

« Celui-là, se dit Oreste, il tombe ou très mal ou très bien. »

Il prit les devants.

— Monsieur Lachaux, lui dit-il, je cherche un logement et un petit boulot. J'ai quitté Les Eclaz. Vous n'avez pas une idée ?

— Vous avez pensé à Me Gasparinetti ? Il est de retour.

— Je n'y tiens pas, dit Oreste. Et il pensa que ce mot pouvait d'un seul coup lui aliéner le fermier.

— Ah, fit Lachaux en le regardant drôlement, c'est différent...

Il réfléchit un peu en se balançant sur ses jambes. Oreste ne pouvait s'empêcher de le trouver rassurant avec son regard fin et ses mains enflées.

Ils descendirent vers le centre.

— Pour le boulot, dit Lachaux, je ne vois rien avant les vendanges. Ce n'est pas pour vous refuser de l'aide, ajouta-t-il, mais, vous savez, de nos jours on paye les agriculteurs pour qu'ils laissent les terres en friche...

— Je cherche surtout un toit.

— Je vais demander, reprit l'autre, ça serait bien le diable si on ne vous trouvait pas quelque chose. En attendant, si vous êtes vraiment pressé, j'ai un grangeon dans la colline. Mais ça va drôlement vous changer des châteaux...

— Aucune importance, dit bravement Oreste.

— Dans ce cas, venez cet après-midi à la ferme, je vous y mènerai.

Oreste s'établit le lendemain même au *grangeon.* Une sorte de remise à outils, avec une cave, où, l'été, les paysans pouvaient s'abriter de la chaleur et même passer la nuit. Lachaux avait rafistolé la serrure et canalisé une petite source qui jaillissait un peu plus haut, dans le bois. Il y avait un lit de camp, un foyer, une étagère creusée dans le mur et un miroir à barbe ébréché qui pendait à un clou. Oreste acheta des tomates, une provision de bougies et du savon. Il jeta sa couverture sur le lit, improvisa une table de chevet avec une caisse et y rangea ses quelques livres. Puis il s'assit sur une pierre devant la maison et regarda le jour tomber.

Il entendait un petit vent tourner autour du bois en léchant les feuilles. L'azur virait comme un papier de tournesol, subtilement attaqué par l'acide de la nuit. Peu à peu l'ombre serpenta dans les vignes, entre les arbres, les cornes de la lune pointèrent sur l'horizon, et le ciel se mit à clignoter.

Il eut du mal à s'endormir.

Dès le lendemain il se donna deux ou trois règles simples, et entre autres : ne plus rôder dans les parages des Eclaz (discipline rendue fort aisée, Belmont se trouvant à l'écart de tout) et, chose moins facile, chasser désormais le souvenir de Mme d'Absonce comme un *mauvais rêve.* Du coup, il reversa par moments dans les spéculations sur Gasparinetti. Une ou deux fois, il lui sembla que, par le truchement de Lachaux, l'avocat lui faisait des ouvertures. Mais il préféra sa solitude.

Sabine revint à point nommé d'un mois de camping sur la côte avec sa famille. Il l'emmena au cabanon. La tête de la petite découvrant la sublime masure où vivait Oreste valait son pesant d'or. Elle était fille de paysans ; il fallait toute sa jeunesse pour nuancer cette évidence familiale : que le bonheur passe par une cuisine en formica et une télévision. En outre, juste avant les vacances, elle avait rompu avec son fiancé, et, le temps d'un éclair, il fut visible qu'elle se demandait si elle n'avait pas fait le mauvais choix. Oreste lui expliqua que le cabanon était une fantaisie de bourgeois, lui témoigna beaucoup de tendresse, qui n'était qu'à moitié feinte. Dans l'immédiat, il voulait assurer sa liaison et ne cherchait nullement à démêler les mensonges de l'âme. Il se perdait avec bonheur dans ces grands yeux un peu vides.

Sabine se rassura peut-être au souvenir de la prétendue parenté d'Oreste, ou elle se laissa simplement entraîner par son tempérament voluptueux. Elle baissa les yeux, se frotta contre lui, et oublia le reste. Tard dans la nuit, elle finit même par trouver le cabanon très romantique. Oreste ne sut pas si c'était sincérité ou gratitude.

— Tu es heureux ? lui dit-elle un peu bêtement.

Il lui murmura oui dans l'oreille.

Il s'étonnait que ce fût presque vrai avec le peu qu'il avait : ce toit de fortune et cette fille. Mais il y avait tout le reste qui entourait cet instant, sous la flamme de la bougie qui s'acharnait à tirer de l'air bleu la substance d'une vie non pas éclatante, mais simplement fidèle à quelque chose qui n'était que l'obscure direction des choses.

Le lendemain, il vit monter Lachaux avec sa remorque. Le fermier lui apportait une lampe à pétrole et un vieux réfrigérateur à gaz sur lequel il avait réussi à remettre la main au fond de sa grange.

— Ne me cherchez plus de logement, lui dit Oreste. Je me passe aisément de lumière électrique et je me sens très bien ici...

— Vraiment ? dit Lachaux.

— Vraiment. J'attends seulement que vous me disiez combien je vous dois pour cette location.

— Vous rigolez !

— Pas du tout. Je ne veux pas être davantage votre débiteur, ajouta Oreste.

— Je vois, dit Lachaux.

Après dix minutes de protestations réciproques, ils s'entendirent sur un loyer presque symbolique. Et Lachaux l'invita à dîner.

— Vous vous demandez, lui dit Oreste, pourquoi j'ai brusquement quitté Les Eclaz...

— Je me le demande, dit l'autre avec un demi-sourire, mais je ne vous le demande pas.

Il y eut un petit silence.

— Vous connaissez Mme d'Absonce depuis longtemps ? reprit Oreste en regardant le fermier.

— Oh, depuis une quarantaine d'années. Quand on l'a vue arriver à Belmont, elle n'avait pas dix-huit ans. Figurez-vous un phénix dans un poulailler. Et un phénix qui avait bec et ongles. Tout de suite elle n'en a fait qu'à sa tête... Une sacrée femme !

— Je sais que vous l'aimez beaucoup, dit Oreste. Je sais aussi que, si ça n'était pas le cas, vous ne diriez rien. Mais, sans chercher à être indiscret, que pensez-vous d'elle au fond ?

— Qu'elle est cinglée, dit doucement Lachaux en baissant les yeux.

— C'est ça..., dit Oreste.

Et il se sentit soulagé.

XI

Avec Lachaux, on pouvait rester une heure à boire un petit blanc devant la cuisine sans se casser la tête à entretenir la conversation. Pour occuper l'air et le temps, il y avait les mouches, la rumeur de la route, les abricots qui éclataient avec un bruit mou en tombant sur le sol. Parfois il en sortait une guêpe affolée. Au beau milieu du silence, les vaches beuglaient tout à coup dans l'étable, et Oreste s'étonnait qu'on trouve de la banalité à ce grand cri profond et un peu terrible.

— Qu'est-ce qu'elles ont ? demandait-il.

— Oh, disait Lachaux, les bêtes, c'est les bêtes.

Et c'était une phrase sensée, ça suffisait pour qu'on se comprenne.

C'était un peu la même chose avec José et sa bande. Jeannot et Pascale, Olivier, dit Boubou, Félix, Martine, Lucie et les autres. On se retrouvait sur le parking, on blaguassait, les motos ronflaient, et le temps passait sans qu'on s'en rende compte. Chacun avait sa nana, sauf José. Les filles, sans se consulter, se relayaient pour qu'il ne soit pas toujours seul sur sa bécane. Il n'était pas dupe, mais il ne se compliquait pas la vie. Il redoutait seulement le moment où c'était le tour de Martine, qui était si bien roulée, le moment où elle se collait à lui et qu'il sentait soudain ses cuisses serrées contre les siennes. Il avait eu un coup de cœur pour elle, et il en gardait cette appréhension.

Vers la mi-août, il y avait eu de brusques pluies, et même un vent large, agaçant, qui giflait lentement le lac. On entendait les roseaux siffler tout bas, l'herbe des talus se mettait à flotter comme des cheveux sous la houle, et des bêtes invisibles secouaient de grandes ondes les champs jaunis. Puis la chaleur revenait, puis le vent. Sabine, nerveuse comme une chatte, aurait voulu aller danser tous les soirs. Dès qu'elle avait fini sa journée, elle filait les rejoindre en mobylette, ou bien c'était eux qui allaient la chercher, et, un soir sur deux, on allait en boîte.

— A ce train-là, on va se ruiner, disait José.

— Ce qui te ruine, mon pote, c'est les traites de ta Honda..., ricanait Jeannot.

Et José se demandait si l'autre ne faisait pas aussi allusion à ses virées galantes. Il riait un peu jaune.

— Allez, les potes ! criait Félix.

Et, une fois rendus, on éclusait longuement des bières pendant que les filles dansaient. Mais José avait raison, on ne pouvait pas y aller tous les soirs. L'idée vint ainsi de faire une fête au cabanon.

Le samedi suivant — on était à la fin août —, Oreste monta du vin avec la voiture de Lachaux. La journée avait été torride. Devant la maison, les pierres exhalaient une buée bleue qui faisait flotter les vignes, les bosquets gris, et, tout là-bas, une pointe de terre couleur de jonquille qui s'enfonçait dans le flanc de la montagne. Il empila des briques pour faire un foyer, prépara du petit bois, tira des pierres un peu plates pour qu'on s'assoie plus commodément devant le ciel qui glissait déjà dans la vallée. Sabine arriva bientôt avec deux salades, des verres en carton, des serviettes, et, vers huit heures, on entendit les motos patiner dans le chemin.

— Salaud ! criait Félix, si je bousille ma bécane, je lui casse la gueule !

Finalement ils abandonnèrent les machines sur

le terre-plein et montèrent la dernière côte à pied. Chargés de victuailles, essoufflés, Jeannot et Félix se donnaient encore des bourrades à se briser les côtes. Les filles poussaient des cris, sauf Pascale, fringuée comme un mec, qui marchait tranquillement à l'écart. José cachait mal un air de contentement.

— J'ai vu un nouveau toubib, glissa-t-il à Oreste.

— Alors ?...

— Il m'a donné des trucs, il dit que cette fois ça va s'arranger.

Il avait un petit sourire sur les lèvres.

— Ah, mon vieux, je suis drôlement content, dit Oreste, et il le prit par l'épaule.

Il y avait un nouveau venu, qui avait apporté du champagne. Il avait un tee-shirt noir, des jeans noirs ; il était silencieux, parfaitement beau. Les filles le regardaient et, de temps à autre, elles pouffaient parce qu'il les troublait. Il avait un sourire un peu mélancolique sous sa moustache blonde.

— Lui, c'est Arthur, dit José.

— Salut, dit Arthur.

Les saucisses chuintèrent sur le gril. Lucie fit un bond en arrière. De gros flocons de fumée montaient du barbecue. Derrière les voix et les éclats de rire, on entendait les grillons. Le soir venait. Le champagne circula, puis le vin. Jeannot, fier du brillant qu'il venait de se faire ficher dans l'oreille, faisait le con avec les verres, pour faire rire les filles. Boubou, qui était petit, avec un visage très régulier, une peau pâle et des yeux sans cils (il avait vingt-deux ans, et des petites rides ; il était boulanger, il se levait six jours sur sept à trois heures du matin), Boubou le regardait sans le voir ; il rêvait ; mais, de temps en temps, il esquissait un sourire. Félix discutait avec Arthur, et Sabine se collait au bras d'Oreste.

— Qu'est-ce que tu as ce soir ? lui dit-il.

— Mais rien, rien.

Il l'entraîna dans le cabanon. Il l'embrassa.

Elle avait changé. Ce n'était plus la gamine aux joues rondes qu'il avait draguée par ennui six mois plus tôt. Elle avait un peu maigri, elle était plus charmeuse, et plus grave. Elle l'embrassait de toute sa langue, elle se pendait à lui.

— Pas maintenant, dit-il.

Ils ressortirent. Félix s'était mis lui aussi à faire le zouave, et tout le monde riait. Le ciel était traversé d'une grande écharpe jaune. Dans l'air flottait l'odeur un peu écœurante des saucisses.

Oreste s'assit, Sabine voulut s'occuper du service.

— J'ai l'habitude, dit-elle.

— Justement, reprit Oreste.

Mais elle insista.

Lucie avait les yeux brillants. Pascale avait réussi à attraper Jeannot par le bras, et elle le tirait pour qu'il s'assoie près d'elle. Il se laissa faire, il s'affala, posa sa tête sur le ventre de la fille, la caressa. Elle riait. Il était un peu saoul. Martine regarda Arthur à la dérobée. Boubou somnolait.

Oreste regarda Sabine.

Elle tendait une assiette à Arthur, et Arthur lui souriait.

Quand elle revint s'asseoir près de lui, il lui dit gentiment :

— Tu peux y aller, si tu veux...

Elle ne répondit pas. Elle se serra contre lui.

La nuit était tiède, et une brise balayait l'air, tirant le panache bleu du barbecue comme une plume d'autruche au-dessus de la colline. Le ciel était liquide, presque noir. On aurait dit que le vent y charriait des nuages de lueurs.

Ce fut José qui donna sagement le signal du départ. Boubou s'était réveillé tout seul, mais Jeannot, toujours gris, somnolait. Il ne fut pas facile de le convaincre qu'il devait laisser conduire Pascale. On se serra la main, on s'embrassa. La bande dévala tant bien que mal la colline. Il y eut encore quelques bruits de voix, puis les moteurs, les phares, et tout se dissipa.

Elle avait un petit tee-shirt rouge qui moulait ses seins. Oreste pensa à un fruit. Elle le retira vivement et, frissonnante, elle vint se blottir dans ses bras. Il y eut une grande ombre et la flamme de la bougie faillit s'éteindre.

— Bientôt il fera froid, dit-elle.

— Oh, répliqua-t-il distraitement, pas avant quelques semaines.

— Et qu'est-ce que tu feras ? Tu retourneras à Belmont ou chez Me Gasparinetti ?

« Ah, pensa Oreste, nous y voilà. »

— Ni l'un ni l'autre.

Elle redressa la tête, et il vit de l'inquiétude au fond de ses prunelles, un petit point qui dansait dans l'iris.

— Mais...

— Quoi ?

— Où vas-tu aller ?

— Je ne sais pas.

Et devant ses yeux agrandis, il ajouta :

— Je n'ai rien décidé.

Elle avait baissé les yeux.

— Tu pourrais aller à l'hôtel...

— Oui, j'y ai songé.

Il y eut un silence.

— Et nous, dit-elle tout d'un coup, qu'est-ce qu'on va devenir ?

— Pourquoi voudrais-tu que ça change ? lui répondit-il en souriant.

— Ah, dit-elle soulagée, j'ai cru que tu allais partir...

Elle avait du mal à comprendre. Elle pensait que c'était compliqué d'aimer un homme dont on savait si peu de chose. Elle se serrait contre lui. Les murs bougeaient avec l'ombre que jetait la flamme de la bougie. Elle mourait. Dans la pièce, il y avait si peu de lumière désormais que, passant sous la porte, la clarté de la nuit faisait comme un tapis sur le seuil.

— Ça n'empêche, continuait Sabine, tu ne m'aimes pas. Un jour tu me quitteras...

— Tais-toi, lui murmura-t-il.

— Tu ne dis rien de toi. Je ne sais jamais ce que tu penses...

— Mais si, mais si... Par exemple, là, maintenant, tu sais très bien à quoi je pense...

— Tu es méchant..., lui dit-elle en souriant.

Mais déjà elle ondulait sous sa main et ses yeux se fermaient.

Oreste reprit ses marches. Quand il n'allait pas boire un verre chez Lachaux, il faisait le tour de la colline ou s'enfonçait dans le bois derrière le cabanon et, les pieds lourds dans les taillis et les ronciers, il le traversait de part en part jusqu'à voir s'étendre en contrebas une autre vallée où, très loin, dans une brume de lumière, on voyait un petit château se hausser risiblement du col au milieu des bosquets. Il regardait cette vallée, le soleil, sa grandeur cachée, les choses qui, lentement, commençaient à décroître, à s'éteindre. Des arbres roussissaient même ici et là. Il marchait pour essayer d'étouffer les questions que Sabine avait réveillées dans sa tête, comme des oiseaux qui maintenant frappaient furieusement du bec contre la paroi de la conscience. L'hôtel, bien sûr, il y avait pensé. Il n'y avait pas trente-six solutions. Le cabanon, c'était idéal pour l'été, mais l'automne arrivait, Lachaux ne lui avait rien trouvé d'autre, et, de toute façon, il commençait à en avoir assez de l'inconfort et de la précarité. Partir, il n'en avait pas le courage. Et pour aller où, d'ailleurs ? Il était libre, oublié peut-être, et c'est pourquoi il restait là. Ce qui était derrière lui, il n'arrivait plus à en juger. Et ce qui l'attendait était noyé dans la brume, comme cette vallée. Et comme le petit château, si beau de loin, mais qui n'était probablement qu'une maison bourgeoise flanquée d'une tour. N'était-il pas préférable qu'il reste dans sa brume ?

En somme, il s'agissait simplement de trouver une pension correcte et bon marché. L'Imperator, non, c'était trop sinistre, et puis il y avait les trains... Les Tilleuls, certainement trop cher. Dans Culoz, peut-être. Car il fallait aussi trouver un boulot. Ne serait-ce que pour mieux aborder l'hiver.

« Déjà ! » pensa-t-il.

Il monta la rue de Genève à pied pour perdre un peu de temps. « Autrefois, pensa-t-il fugitivement, dans un instant pareil, j'aurais jeté quelques cartes à la poste. » Il regardait les boutiques. La ville respirait encore l'été, l'huile solaire, le sexe, l'ennui tapageur des stations balnéaires. Mais le ciel, ou l'air du moins, avait déjà quelque chose de gris et de piquant. Il descendit les escaliers en sifflotant. Il fut le premier à entrer dans la salle d'armes. C'était la réouverture. Les néons n'étaient pas encore allumés, une lumière assez blafarde tombait des soupiraux. Une seconde Oreste se crut seul dans cette salle résonnante, puis il entendit du bruit tout au fond.

— Ah, c'est vous ! dit Me Nemoz, et il lui serra la main avec chaleur. Je sors le matériel, voulez-vous me donner un coup de main ?

— Je cherche du travail, lui dit enfin Oreste. Pas grand-chose, mais quelque chose de régulier. Ne pourrais-je pas vous aider ?

— Pas simple..., dit le maître d'armes en mordant sa moustache. Je cherche en effet quelqu'un pour les enfants, mais... Vous n'avez pas votre brevet de prévôt ?

— Non.

— Ah, ah..., faisait Nemoz.

Et il mâchouillait sa lèvre supérieure, mais, d'un côté seulement de la bouche, ce qui lui déformait drôlement le visage. Les rides s'estompaient, et le blanc de l'œil dessinait une demi-lune inquiétante sous la prunelle.

— ... Au fond, je pourrais vous prendre comme vacataire. Naturellement, pour des questions de responsabilité, il faudrait que je sois toujours présent dans la salle. Mais ça m'arrangerait financièrement... Je vais y penser.

Oreste quitta le cabanon quinze jours plus tard pour s'établir à Culoz, à l'hôtel de la Poste, une pension à coucou et papiers fleuris, mais qui n'était pas trop sombre. Il débattit le prix avec la patronne, et tout fut dit. Sa chambre était calme, il s'installa avec une sorte de bonheur. Il était à la salle d'armes le soir de quatre à huit heures et le mercredi toute la journée. Faire le chemin chaque jour, surtout les derniers kilomètres, quand la route se met à tortiller le long du lac avec ses tunnels, ça n'était pas de tout repos. La Ducati commençait à se fatiguer. L'air fraîchissait. Il y eut des pluies. Mais Oreste aimait cette régularité, qui l'enivrait comme un alcool à bon marché.

Outre les débutants adultes, Me Nemoz lui avait confié les enfants de l'école. Une humanité en réduction, se dit-il le premier jour, face à ses dix-huit gamins. Il y avait des gros, des maigres, des soucieux, des trompeurs, des déterminés, des romanesques. Ils étaient intimidés, mais presque tous excités à l'idée de tenir un fleuret. Au bout d'une demi-heure, ils chahutaient. Oreste mit bon ordre dans le petit groupe. Il les fit rire aussi, et découvrit bientôt qu'il avait du plaisir à enseigner, du moins à quelques-uns qui, dès l'apprentissage de la garde, firent preuve d'enthousiasme, ou de grâce, ou d'attention.

Il se rappela sa propre formation, et combien le but, si aisément représentable à l'esprit, peut se trouver loin du corps, de la main. Rien n'est plus difficile, il en savait quelque chose, que de sentir soudain son arme comme un prolongement naturel et miraculeux du corps, de sentir en quelque sorte au bout de son fer. Il surveillait d'un œil un gamin qui lui avait plu dès le premier instant. C'était un enfant svelte, avec des yeux noirs très ardents. Il s'acharnait à enchaîner deux pas et une fente, comme Oreste venait de le leur apprendre. Il était un peu excessif jusque dans son entêtement, et il s'embrouillait.

L'enfant se retourna et chercha des yeux Oreste.

— Maître..., l'appela-t-il.

XII

— On n'a jamais vu ça, dit la patronne. En octobre...

La neige tombait avec un air pressé, on aurait même dit qu'elle se précipitait vers le sol, comme de petits aimants floconneux. Le ciel était d'un gris pâle, sauf aux abords du Grand-Colombier, barbouillé d'un brouillard noir, qui n'avait jamais été aussi lugubre. Les voitures ralentissaient dans la descente et, lorsqu'elles passaient devant l'hôtel, on voyait distinctement, malgré la buée, le visage des conducteurs.

On était samedi. La salle était déserte. La patronne de l'hôtel traînait avec des soupirs derrière le comptoir. De temps en temps, elle laissait tomber quelque pensée. Oreste, une fois sur deux, répondait. A travers le carreau, il regardait la montagne plomber au-dessus de la ville. Le brouillard avait disparu ; le sommet était verdâtre, d'une couleur absolument sans lumière. Oreste se sentait bien où il était. Il s'était calé les fesses dans la banquette, contre la fenêtre, et il fumait une cigarette en rêvassant.

Le téléphone sonna.

— C'est pour vous, dit la patronne en rentrant dans la salle.

— J'en étais sûr, dit Oreste en se levant.

— Vous attendez un appel ?

— Non, une idée, comme ça.

Il traversa la salle et passa dans le corridor. Les portes battirent derrière lui. C'était Lachaux, qui lui proposait de venir prendre un verre le lendemain.

— Ça ne durera pas, rassurez-vous, dit-il en rentrant à son tour.

— Qui vous le dit ?

— Personne, plaisanta-t-il, mais vous ne voudriez pas que ça dure comme ça jusqu'au printemps...

Et, en effet, le lendemain, quand il sortit de l'hôtel, la neige avait cessé, le ciel était presque blanc, gonflé par la lumière. Il descendit vers Artemare à petite allure, en flânant ; ça le rendait heureux de rouler sur cette route, comme si la neige soudain jetée dans les champs et les arbres le ramenait à un passé lointain, vidé de son angoisse. Il en restait une légèreté, une sorte de tristesse heureuse.

— Comment allez-vous ? lui dit Lachaux.

— Ça va, ça va bien, merci. Qu'est-ce que vous dites de cette neige ?

— Qu'on l'a échappé belle. Encore un peu, et adieu les vendanges, adieu le petit blanc !... Et vous, monsieur Oreste, qu'est-ce que vous faites de beau ? Vous vous *escrimez* toujours ?

— Toujours, dit Oreste.

— Et ça marche ?

— Ça marche.

— Un verre de marc ?

— Volontiers.

Et Lachaux sortit la gnôle. Il passa un coup de torchon dans les verres, les posa, jeta le torchon, déboucha la bouteille.

— Assez, assez, dit Oreste.

— A la vôtre, dit Lachaux en s'asseyant.

— A la vôtre.

Ils burent.

— Me Gasparinetti..., dit Lachaux en regardant ailleurs.

Oreste suivit son regard, qui se perdait dans le fond de la cuisine. Il aperçut des piles de journaux, de boîtes de conserve, des chiffons.

— Me Gasparinetti m'a chargé d'un message pour vous.

— Ah, ah...

— Ne riez pas...

— Non, non, j'attends.

— Vous vous rappelez Me Dumas, l'avocate que vous avez rencontrée en Autriche ?

— Oui.

— Eh bien, elle a disparu.

— Que voulez-vous dire ?

— Elle était sur l'affaire S...

— Mais, l'interrompit Oreste, vous êtes donc au courant de tout ça ?

— ... Elle a disparu depuis deux jours, et on ne sait pas ce qu'elle est devenue.

— Nom d'un chien... murmura Oreste.

— Par contre, le S., lui, il est bien vivant, et il paraît qu'il remue beaucoup d'air. C'est ce qui inquiète Me Gasparinetti.

Il y eut une seconde de silence.

— Je suis désolé pour cette jeune femme, dit Oreste assez vivement, mais je me suis précisément enterré chez vous pour échapper à tout ça. Je n'ai plus rien à voir dans cette affaire.

— Ne vous emballez pas, monsieur Oreste. D'abord, pour l'avocate, on n'est sûr de rien. Me Gasparinetti attend des nouvelles. Et puis, des *amis* à lui ont pris le relais sur place... Mais buvons un autre coup, dit Lachaux en souriant, ça réchauffe le cœur et ça délie les langues.

— Je n'ai rien à dire, dit doucement Oreste.

— Moi si, dit le fermier, et il siffla son verre.

— Bon, dit Oreste, je ne suis pas idiot, même si ça m'étonne un peu, je comprends que vous aussi vous faites partie des fameux *amis*. Mais après ?

— Après...

— Parlez, je vous en prie.

— Je vous sens bien méfiant. Buvons.

Ils burent. C'était une eau-de-vie claire et coupante : un ruisseau glacé. Exactement ce qu'il fallait pour faire passer cette histoire.

— A vous, dit Oreste.

— Eh bien... Il faut remonter un peu dans le temps... Bon, en deux mots, voilà. Vous avez couru le pays dans tous les sens, vous êtes monté vers Hauteville et peut-être même du côté de Saint-Claude. Non ? Vous ne connaissez pas la forêt du Massacre ? Enfin, ça ne change rien. Vous avez vu ce que c'est que le haut pays. Des forêts. Eh bien, imaginez dans le temps jadis. A peu près la même chose, mais multiplié par cent. Des forêts, des forêts, et que ça. Sur des kilomètres. Et pas des forêts pour touristes, avec des sentiers fléchés, des clairières avec des tables et des bancs pour le pique-nique ! Non, des vraies forêts, hautes comme des cathédrales (allez voir celle de Joux : des futaies de plus de quarante mètres), mais des cathédrales à la dimension des montagnes, des forêts sans limites, sans lumière. Et dans ces forêts, tout ce qu'il faut pour mettre la pétoche à n'importe qui : des loups, des lynx, des cerfs avec des bois monstrueux, des cochons deux fois gros comme ceux qu'on tire aujourd'hui. Si on se perdait là-dedans, on était foutu. J'ai entendu dire qu'on avait seulement commencé à défricher au Moyen Age. Avant, qu'est-ce que ça devait être !... Bon. Cette forêt, qui l'exploitait ? C'est-à-dire : qui ne pissait pas dans son froc en y pénétrant ? Qui en connaissait les pièges et les ressources ?

« Les *fendeurs*, les bûcherons, les charbonniers.

« Nous, les paysans, continua Lachaux, on n'a jamais très bien réussi à s'organiser. C'est même le moins qu'on puisse dire, ajouta-t-il avec un petit rire. Mais les artisans, les ouvriers, les itinérants, ils se sont toujours entendus entre eux. Et à demi-mot. Ceux-là, dans leur corporation, leur société d'entraide, ils s'appelaient *les bons cousins...*

— Je commence à comprendre, dit Oreste.

— Comme tous les compagnons, ils avaient des emblèmes : la hachette, le poignard, et trois rubans : bleu, rouge et noir. Bleu comme la fumée, rouge comme le feu, noir comme le charbon. Ils avaient des cérémonies, et des signes pour se comprendre entre eux, surtout quand ils se rencontraient en pays étranger. Leurs travaux avaient pris pour eux des significations, ou bien ils avaient découvert que ce qu'ils faisaient avait un sens : garder la forêt, c'était commander aux esprits emprisonnés dans les arbres ; fendre le bois, c'était percer le mystère ; et le charbon signifiait la pourriture avant la renaissance ou le feu endormi. On raconte qu'un roi ou un empereur, je ne sais plus très bien, fut reçu dans leur société, et que depuis ce jour-là ils furent exemptés de contributions et secrètement protégés. C'est possible. Mais moi, je crois qu'ils se passaient très bien de rois et d'empereurs. Avec un pareil domaine, et les clefs du domaine, c'étaient eux les rois !

— Et ça se passait quand, tout ça ?

— Quoi, l'histoire du roi ?

— Non, la corporation.

— Oh, pratiquement jusqu'à la Révolution... Après, vous savez ce qui s'est passé.

— Oui, dit pensivement Oreste. Enfin, je crois. Il me manque encore quelques éléments, mais je comprends...

Il y eut un nouveau silence. Il tendit son verre, le fit tourner dans sa main quelques secondes, puis le vida d'un trait.

— Alors ?... dit Lachaux.

— Vous me posez la question... ?

— Oui.

— Je regrette, monsieur Lachaux.

— Oh ! fit Lachaux. C'est sérieux ?

— Sérieux.

— Mais pourquoi ?

— Qui sait ?... Un jour Gasparinetti m'a rappelé que la terre mûrissait les choses dans l'obscurité et dans la mort. (Vous êtes mieux placé qu'un juriste pour comprendre ça, non ?) Peut-être suis-je trop mûr, ou pas assez.

— Excusez, monsieur Oreste, mais « trop mûr », ça n'existe pas. Un fruit trop mûr, c'est un fruit déjà pourri. Donc ça n'est pas ça. Maintenant, si le fruit n'est « pas assez mûr », alors il suffit d'un peu de temps. Réfléchissez.

— ... Le feu est endormi, murmura Oreste d'un ton inspiré. Et comme il se sentait un peu gris, il chantonna : *Pourquoi le réééveiller ?...*

« Oui, mais c'est l'automne », pensa-t-il.

Et soudain il se sentit triste et furieux.

Il regardait Lachaux, sa bonne tête, ses yeux, ses mains ankylosées, et il se demandait ce qu'un paysan pouvait bien fiche dans cette affaire. Et lui-même, qu'est-ce qu'il faisait là ? Une histoire de fou. Il avait disparu dans un trou depuis bientôt dix mois, une taupe n'aurait pas fait mieux, et finalement l'histoire le rattrapait. Tout à coup, il eut envie de prendre l'air. Il se leva, il dit : « Excusez-moi un instant », et sortit. Il pissa contre le grillage, fit les cent pas dans la cour, s'arrêta devant la cage aux lapins. Ils avaient des yeux vides, ils avaient l'air peureux, tendres, idiots. Il rentra dans la cuisine.

— J'ai un coup dans l'aile, dit-il à Lachaux en souriant, mais je me sens très bien. Je vais aller me promener un peu.

Ils se serrèrent la main.

— Soyez prudent, lui dit Lachaux.

Vers deux heures, il s'arrêta dans un village dont la rue principale était bordée par le mur d'une grosse maison de maître qui s'abritait sous des ormes roux, beaucoup de calme et une ravissante odeur d'automne dont il se demanda quelle était la nature. « Une légère odeur dc pourriture », pensa-t-il avec étonnement. La lumière était encore droite, on se serait cru le matin, n'eût été les portes closes de l'église, dont le porche, soutenu par des pilastres romains, était enfoncé d'un bon mètre dans le sol. On y accédait par trois marches.

Il déjeuna au bistro et repartit. Il longea les marais, se retrouva dans une plaine que le soleil faisait grésiller. La surface de la neige fondait à vue d'œil. Au détour d'une peupleraie, il découvrit un petit lac. Il s'arrêta. Sous les arbres, la rive était jonchée de détritus. Avec la neige, cela faisait des coulées répugnantes. Malgré tout, le tableau était reposant. Il vit deux ou trois oiseaux s'envoler dans un léger fracas d'ailes. Il reprit la route ; il se sentait dessoûlé. Dans cette plaine grande ouverte sous le ciel, il se disait que la lumière était une autre sorte d'alcool. Et le vent, donc ! Au bout de quelques kilomètres, il remonta dans des collines un peu sèches, aperçut de l'autre côté une ligne de chemin de fer et plus loin les toits d'une grosse agglomération. Il avait dû dessiner une sorte de grande boucle ; il était trois heures ; il pouvait continuer au petit bonheur en suivant simplement le nord.

La route, après avoir filé le long de la crête, redescendit, puis amorça de grandes courbes gracieuses dans un paysage onduleux. Au premier carrefour, un chemin grimpait sur la droite à travers un bois. Oreste s'arrêta, enchaîna la moto à un arbre, et s'engagea dans le sentier les mains dans les poches. Le feuillage des chênes était clairsemé, il suffisait d'un souffle et il neigeait de minuscules feuilles grises. Sous la neige, la terre était presque rousse, et rouges là-bas les flancs des coteaux. Au-dessus de tout ça, un ciel pur et chaud.

« Après ce coup de froid, pensa-t-il, nous aurons peut-être un bel automne. »

Il se souvint de Lachaux. Il se dit naïvement que les êtres les plus clairs avaient leurs obscurités. Il ne l'en aimait pas moins. Ils se verraient probablement beaucoup cet hiver, lorsque la neige ne serait plus un caprice météorologique, mais la pesante épiphanie de l'hiver, une chape sous laquelle il faudrait vivre au ralenti en attendant le printemps.

Mais pour l'instant le soleil brillait, et les clairières fumaient dans la colline. Oreste avait entrevu un grangeon derrière un bouquet d'arbres chétifs. Il quitta le sentier, grimpa sur un talus, mais, au moment où il l'enjambait, la terre humide et collante céda sous son poids, il s'accrocha aux ronces, il s'écorcha, jura, tint bon, et finalement se redressa de l'autre côté. Il se secoua, la terre faisait comme des taches de sang sur ses vêtements, il les frotta à grands coups de paume, et reprit sa marche.

Derrière le bosquet, le grangeon était minuscule et délabré. Il n'était pas en dur comme celui de Lachaux, ce n'était qu'une baraque en bois, presque un chiotte de campagne. Mais une fois qu'on se trouvait sur le terre-plein, la vue vous ravissait. Sous un ciel de lait, la route glissait, brillante, entre les pentes jaunes et les buissons, avant de se perdre au loin dans une vallée veillée par des montagnes.

Oreste s'assit.

Au bord de la route, là-bas, une voiture était arrêtée. Ses propriétaires, un couple de personnes âgées, en étaient sortis pour faire quelques pas le long du fossé. Ils prenaient l'air et le soleil. Ils se promenaient lentement. L'homme était grand, maigre, un peu voûté, distingué. La femme qui s'appuyait à son bras, plus petite que lui, se tenait très droit. On n'aurait su dire lequel des deux réglait son pas sur l'autre. Simplement l'homme avait l'air de se pencher un peu sur sa compagne, comme par un excès d'attention, comme pour la protéger, lui qui paraissait si frêle. Oreste, dont le regard courait déjà vers les montagnes, se dit qu'ils étaient touchants. Au même instant quelque chose le traversa comme un coup de vent. Il regarda le couple.

C'étaient Gasparinetti et Mme d'Absonce.

Il ne se passa rien d'autre. Il resta figé une seconde peut-être, puis il se leva doucement, s'effaça derrière le cabanon, comme pour ne rien déranger. Plus tard il n'aurait su dire ce qu'il avait pensé. Rien sans doute. Ou simplement que l'odeur des herbes où il s'était assis l'entourait, le suivait. Il retrouva sa moto, il détacha calmement l'antivol, reprit la route de Culoz.

Il monta dans sa chambre, écrivit, sans hâte mais sans hésiter, trois billets, colla les enveloppes. Puis il rangea ses affaires.

La patronne eut l'air surpris, un peu désolé aussi, quand il lui demanda sa note.

— A un de ces jours, lui dit-il avec un sourire en lui tendant la main.

Il laissa la Ducati sur la station-service et glissa une lettre pour José sous la porte de l'atelier. Il jeta son sac sur ses épaules et retourna vers le centre. Au carrefour il prit à gauche. Son pas résonnait sur le macadam.

En poussant la porte de la gare, il eut l'impression qu'une mince paroi de verre explosait.

Achevé d'imprimer en janvier 1994
sur presse CAMERON
dans les ateliers de la S.E.P.C.
à Saint-Amand-Montrond (Cher)
pour le compte des éditions Grasset
61, rue des Saints-Pères, 75006 Paris

N° d'Édition : 9311. N° d'Impression : 012.
Dépôt légal : janvier 1994.
Imprimé en France
ISBN : 2-246-46471-4